우리를 닮은 이야기

# 우리를 닮은 이야기

김수현

은희

유가실

안지환

김토실

이진선

남수연

한선정

윤슬

　책 한 권을 출간하기 위해 나이도, 성별도, 직업도 다른 아홉 명이 모였습니다. 처음에는 예비작가라는 칭호가 조금은 멋쩍게 느껴졌었습니다. 책 출간은 거창한 프로젝트라고 생각했고, 평범하게 살고있는 나는 감히 도전해 볼 엄두도 나지 않는 미지의 영역이었습니다. 하지만 몇 주간 머리를 맞대어 글을 쓰고, 출간 준비를 하는 동안 우리는 작가라는 단어와 조금 가까워졌습니다. 이 책이 무사히 출간되어 우리의 글을 읽는 독자가 한 분이라도 생긴다면, 우리는 마침내 작가가 되겠네요.

　우리들은 첫 문장을 시작하며 약속이라도 한 듯 당연하게 나의 이야기를 써 내려갔습니다. 우리의 이야기는 우리로부터 시작됐습니다. 이 책에는 우리의 경험, 생각, 일화, 감정에서 태어난 아홉 명의 주인공이 있습니다. 하지만 그들은 그저 우리를 닮았을 뿐, 완전한 우리는 아닙니다. 우리는 나에게서 비롯된 주인공이 나보다 더 나은 선택을 하기를, 더 행복하기를, 더 성장하기를 바랐으니까요. 나를 닮은 채로 태어났지만 내가 아닌 주인공들이 우리들의 이야기를 말합니다.

　이야기의 힘을 아시나요? 어떠한 감정은 이야기가 될 때, 비로소 느껴지기도 합니다. 확실하지 않은 감정을 활자로 마주했을 때 우리는 스스로가 원하는 것이 무엇인지 알게 됐습니다. 우리는 어떠한 아픔을 이겨내기 위해, 어떠한 행복을 빌기 위해, 더 나은 사람이 되기 위해 글을 썼습니다. "우리를 닮은 이야기"는 우리들의 다짐이자 용기입니다. 우리들의 진실한 감정을 담은 아홉 개의 글을 읽은 독자 또한 우리와 같은 용기를 얻을 수 있기를 바랍니다.

　이 이야기들은 우리를 닮은 이야기일 뿐만 아니라, 우리 모두가 함께 쓰고 있는 이야기의 한 페이지일 뿐입니다. 여러분의 이야기도 "우리를 닮은 이야기"에 소중한 한 페이지가 될 것 입니다.

- 공동저자 中 김수현

차 례

# 내 세계를 그려줘.

김수현

**김수현** 글과 그림을 사랑한다. 그림이 좋아 미대 입시를 거쳐 패션디자인 학과에 진학했지만, 손으로 만들기보나는 그림을 그리는 깃'민 좋아헸다는 걸 깨달았다. 그림은 많이 그려봤으니, 이번에는 글과 함께 살아갈 때라며 콘텐츠 학과로 방향을 틀었다. 생각이 너무 많은 타입이라 가벼운 콘텐츠를 선호하며, 현실을 살아가는 데 영 도움 되지 않는 것들을 좋아한다. 예컨대 판타지 장르의 영화나 소설, 귀엽지만 무용한 스티커, 초능력을 쓰는 주인공이 나오는 만화책 같은 것.

인스타그램: @ssootoru
블로그: https://m.blog.naver.com/115asd
이메일: 115asd@naver.com

'제가 그린 그림이 움직이는데, 저는 미친 걸까요?'

당장이라도 어디론가 전화를 걸어 물어보고 싶은 말이었다. 자신이 미친 것 같다는 신고도 119에 하는 게 맞을까? 아니, 신고보다도 제정신이 맞는지부터 확인하는 게 우선이었다. 아현은 오른손을 들어 올려 제 뺨을 가볍게 내려쳤다. '짝'하고 짧게 울리는 마찰음에 그녀가 그린 '리에나'가 개그를 하냐며 깔깔 웃어 댔다. 종이 속에서 마구 손뼉을 치며 박장대소하는 모습은 조금 경박스럽게까지 느껴졌다. 그런데 어쩐지 이 모습이 낯설지 않았다. 예전에도 이런 적이 있었다.

아현은 그림을 좋아했다. '좋아한다'가 아닌 '좋아했다'로 서술한 이유는 딱 고등학교 1학년까지였기 때문이다. 꿈 많던 중학생 시절에는 미대 진학을 꿈꾸기도 했었지만, '현실' 앞에서 꿈이라는 건 그저 실체 없는 추상적인 단어에 불과했다.

아현의 부모님은 바빴다. 아현 밑으로 동생만 세 명이었다. 네 명의 아이를 책임지기 위해 부모님은 맞벌이를 선택하셨고, 막냇동생을 업어 키우다시피 한 건 부모님이 아닌 아현이었다. 동생들을 돌보랴, 학교생활 하랴, 바쁜 와중에도 아현은 틈틈이 그림을 그렸었다.

그때 그려낸 것이 리에나였다. 리에나 로즈우드는 어린 아현이 창조해 낸 로맨스 판타지 세계관 속 귀족 영애로 대대로 빨간 머리를 가진 로즈우드 후작 가문의 귀한 장녀. 다정한 부모 아래에서 온실 속 화초처럼 자란 그녀는 응석받이에 말괄량이 같은 구석이 있는 사랑스러운 소녀였다. 아현은 저에게 없는 특권을 그녀에게 몽땅 몰아줬었다. 저는 몰라도 제가 만든 캐릭터는 부모님에게 사랑을 잔뜩 받았으면, 어리광도 잔뜩 부릴 수 있었으면 좋겠다고 생각했다.

매일 같이 그리던 그녀와 멀어졌던 건 아마도 고등학교 1학년의 첫 중간고사 날 이후였다. 마지막 과목의 문제를 다 푼 아현은 검은 점들로 가득한 OMR카드를 복도 쪽으로 쭉 밀어 넣었다. 시험 시간이 끝나길 기다리며 낙서를 끄적거릴 요량이었다. 턱을 괴고 낙서를 하고 있으니, 사방이 고요한 교실 때문인지 몰려드는 졸음과 사투를 벌이는 머리가 연신 꾸벅거렸다. 그런 머리와는 달리 손은 낙서하는 행위가 익숙한 듯 뇌의 조종 없이도 더듬더듬 선을 이어 나갈 때, 리에나가 저에게 말을 걸었다.

"이 밋밋한 귀걸이가 말이 돼? 당장 다시 그려줘!"

회색의 갱지 안에서 그녀는 아현을 향해 바락바락 앙칼진 목소리를 냈다. 아현은 꿈을 꾸고 있다고 확신했다. 그림이 움직일 리가 없지, 하면서 팔뚝 안쪽을 꼬집어 비트는데, 그렇게 아플 수가 없었다. 그 고통에 아현의 얼굴 가득 의문이 피었다. 꿈이라면 아프지 않아야 했다.

리에나는 그런 아현이 한심하다는 듯이 한숨을 폭 내쉬었다.

"뭐해? 자학이 취미야? 괴팍하긴. 그런 건 그만두고 빨리 빨간 볼펜으로 내 귀걸이에 루비나 달아줘."

당당하게 요구하는 목소리에 어쩐지 말려드는 기분이었다. 아현이 황당함을 숨기지 못한 채로 막 빨간색 볼펜을 들어 올렸을 무렵, 기가 막힌 타이밍에 시험 종료 종소리가 울렸다. 맨 뒷사람이 일어나 시험지와 OMR카드를 수거해갔다. 리에나는 제 위에 종이가 쌓이는 와중에도 귀걸이가 마음에 들지 않는다며 소리를 질러 댔다.

그 목소리가 어찌나 생생한지, 아현은 집에 돌아와서도 자신이 꿈을 꾼 건지 리에나가 진짜로 움직인 건지 헷갈렸다. 자신이 그린 그림이 움직이며 말을 걸다니, 이게 무슨 영화에 나올 법한 이야기인가? 아현은 설마, 하는 마음으로 식탁에 앉았다.

아현의 방에는 책상이 없었다. 사실 그녀의 방이라고 칭하는 것도 옳은 정의는 아니었다. 아현은 동생들과 방을 함께 썼다. 가뜩이나 좁아 터지겠는 방에 책상을 둘 공간이 있을 리가 만무했다. 부모님은 공부할 일이 있으면 거실에 나와서 하라며 커다란 식탁을 놔주셨다. 온갖 과자 봉지와 관리서를 한쪽으로 몰아낸 아현은 가방에서 종이와 펜을 꺼냈다. 리에나를 다시 그려볼 생각이었다. 만약 아까 본 게 꿈이 아닌 현실이면 지금 그린 리에나도 움직이지 않을까 싶었다. '진짜로 리에나가 살아 움직이면 어쩌지?'하는 두려움과, '리에나랑 무슨 대화를 나눌까? 내가 그려준 얼굴이 마음에 드는지 물어볼까?'하는 설렘이 동시다발적으로 부풀었다. 펜을 든 아현의 손이 바들거렸다. 펜촉이 종이를 둥글게 훑고 지나갔다. 이제 막 얼굴의 형태가 될 선을 그을 때, 등 뒤에서 기척이 느껴졌다.

"애, 뭐 하니?"

말을 건 사람은 그녀의 어머니였다. 오늘 어머니가 일찍 퇴근하시는 날이었던가. 낭패였다. 아현은 종이를 숨기며 아무것도 아니라고 변명했다. 눈을 피하는 것에 이상함을 느낀 어머니는 아현이 손 아래에 숨긴 종이를 끄집어냈다.

"그림? 어머, 얘가 정말. 너 오늘 시험 본 거 아니니? 그림은 무슨 그림이야! 너 이제 고등학생이야! 공부가 제일 중요할 때라고. 설마 미대 가고 그럴 생각은 아니지? 너 미진이 얘기 못 들었어?"

미진은 아현의 사촌 언니다. 언니의 얘기는 이미 귀에 피가 나도록 들었다. 그녀의 어머니는 어림잡아 서른 번은 넘게 얘기한 언니의 소식을 또 입에 올릴 작정이었다. 아현이 들었다고 말하려 했으나, 이미 늦었다. 어머니의 말이 따발총처럼 발사됐다.

"미진이 걔, 미대 가니 어쩌니 하면서 이번에 또 떨어졌다더라. 삼수야, 삼수. 방학 특강 한 번에 자그마치 오백이 들어간다는데, 삼수가 말이 되니? 피땀 흘려 번 돈 가져다 바칠 부모 생각은 절대 안 하지. 요즘 엄마 힘들어. 아현이 넌 그냥 평범하게 공부해. 공부해서 대학 가고, 좋은 직장에 취직해서 돈 따박따박 안정적으로 버는 거, 그게 효도야. 그 돈 벌어서 날 주니? 고깝게 듣지 마. 다 너 좋아지라고 하는 얘기야. 엄마 말 무슨 말인지 알지?"

어머니는 말로는 부족한지 아현의 손아귀에서 펜을 쓱 가져갔다.

아현이 문방구에 산 펜화용 잉크 펜이었다. 대신 어머니는 미리 준비한 샤프를 펜이 있던 자리에 욱여넣었다. 어디서 얻었는지 모를 수능 샤프였다.

"엄마 친구 아들이 그 샤프로 수능 풀고 연세대 갔다. 그 샤프로 공부하면 기 좀 받을 거야."

이후로도 아현의 어머니는 미진의 소식을 열댓 번은 더 언급하며 인상을 찌푸렸다. 그날 이후 아현은 그림을 그리지 못했다. 평범. 아현을 위한다며 어머니가 강요한 그 단어는 그림을 좋아하던 아현에게 아주 작은 낙서까지도 몽땅 빼앗아 갔다.


그렇게 아현은 '평범'이라는 단어와 어울리는 삶을 살아왔다. 현대를 살아가는 사람이라면 선대의 사람들이 미리 정해 놓은 '삶의 가이드라인'을 느껴봤을 거라고 단언한다.

'그 나이에 아직도?'

이러한 말을 듣는다면 당신은 통용되는 삶의 가이드라인을 벗어난 것이다. 아현은 저러한 말을 듣지 않기 위해 최대한 의견을 죽이며 살아왔다. 고등학교 3학년 담임선생님께 추천한 대학과 아동학과엔 딱히 흥미가 없었지만 '그 학과는 재미없을 것 같아요'라는 말 대신 '그 학교는 재수 없이 합격할 수 있나요?'를 내뱉었던 것도 그래서였다. 재수란 '그 나이에 아직도?'에 아주 적합한 상황이니 말이다. 그렇게 간 대학에선 한 번의 휴학도 없이 졸업했다. 졸업했으니 이젠 취업준비생이 될 차례였다. 빠른 취직과 안정된 직장만이 그녀를 더욱 평범한 사람으로 만들어 줄 테니 말이다. 하지만 막상 취업 전선에 뛰어들고 나니 한숨만 푹푹 나왔다. 아동학과를 졸업했기에 아이들을 돌보는 직장을 구해야 한다. 자라오는 내내 세 명의 동생에게 시달린 아현은 작년에 막냇동생이 중학교에 입학하며 겨우 자유의 몸이 됐다. 이미 한두 군데에서 연락이 와 면접을 본 상태이지만, 아현은 제가 맞는 선택을 하고 있는지 확신이 서지 않았다.

가족들이 전부 잠을 자는 늦은 밤. 불이 꺼진 조용한 거실에서 아현은 구직 사이트를 살피며 침울한 표정을 지었다. 퍼런빛을 내는 구식의 노트북 때문인지 그녀의 얼굴도 파랬다. 푸르죽죽하니 생기 하나 없는 게 이러지도 저러지도 못하는 그녀의 심정 같기도 했다. 가야 할 길목 앞에 서서 망설이는 기분. 아현에게는 퍽 낯선 기분이었다. 아현은 아버지가 직장에서 가져온 이면지의 뒷면에 연신 'ㅠㅠㅠㅠ' 하고 눈물 표시를 적었다. 원래는 일자리의 조건들을 적어 비교해 보기 위해 가져온 종이였다. 낙서를 해볼까, 하는 마음이 든 건 순전한 충동이었다. 아현이 문이 닫힌 안방을 주시했다. 희미하게 들리는 아버지의 코골이가 반복적이었다. 부모님이 갑자기 깰 것 같지 않았다.

아현이 그린 것은 당연하게도 리에나였다. 손에 익은 게 리에나여서인지, 낙서를 해야겠다 마음을 먹으니 손은 당연하게도 그녀의 얼굴을 그렸다. 어머니가 깨어난 것도 아닌데, 아현은 뭐에 쫓기기라도 하는 것처럼 손을 재빨리 움직였다. 오랜만에 그리는 리에나인데도 손은 익숙한 듯 그녀의 특징을 골라 그렸다. 오똑한 코, 작은 입술. 끝이 살짝 올라가 고양이를 연상시키는 눈엔 기다란 속눈썹이 달렸다.

아현은 급한 마음에 어릴 적 무슨 일이 있어도 빨간 볼펜으로 가득 채웠던 리에나의 파마머리마저도 새카만 볼펜으로 뒤덮었다. 그러는 동안에도 아현은 안방의 문을 힐끔거렸다. 다시 종이로 고개를 내렸을 때, 아현은 비명을 지를 뻔했다. 분명 동그랗고 귀엽던 리에나의 눈이 부릅떠진 채로 아현을 노려보고 있었기 때문이다.

'귀신이다. 이건 귀신이야.'

공포영화에서 본 적이 있다. 아무도 없는 늦은 밤, 깜깜한 학교의 미술실에서 일제히 주인공을 쳐다보는 그림들을. 어머니가 결사반대를 하던 그림을 그려서 저주를 받은 게 틀림없었다. 겁에 질린 아현이 거품을 물기 직전 리에나가 입을 열었다.

"이게 무슨 짓이야. 내 머리카락이 검은색이 됐잖아!"

그녀의 목소리에 잔뜩 노기가 서려 있었다. 그림이 말을? 그 목소리에 아현은 되려 침착해졌다. 언제 잠들었는지는 몰라도 자신은 지금 꿈을 꾸고 있는 게 틀림없었다.

"당장 빨간 볼펜 가져와! 이건 로즈우드가의 명예를 더럽히는 일이야. 내 머리는 우리 가문의 상징이라고!"

아현은 순순히 빨간 볼펜을 가져와 다른 이면지에 새롭게 리에나를 그렸다. 이번에는 조금 정성을 들여 그렸다. 꿈이기에 거리낄 게 없었다. 꿈속에서 그림을 그린다고 뭐라고 할 어머니도 없고 말이다. 리에나는 풍실풍실한 빨간 웨이브 머리에 만족한 듯 고개를 끄덕였다. 리에나는 제 머리카락을 만지작거리며 인사를 건넸다. 왜 이렇게 오랜만에 자신을 그려주냐는 투정도 조금 섞여 있었다. 한숨을 쉬며 조금

외로웠다고 말하는 리에나는 답지 않게 의기소침해 보였다. 리에나는 아현의 나이를 물었고, 아현은 스물네 살이라 답했다. 그 대답에 리에나의 턱이 땅에 닿을 듯 떡하니 벌어졌다. 왜 이렇게 나이를 먹었냐는 외침은 무례하기 짝이 없었지만, 굳이 질책하고 싶진 않았다. 아마 리에나는 지금 열여섯 살 어린애일 테니까. 시간이 지나 아현이 어른이 될 동안, 리에나는 여전히 리에나였다. 여전한 그 모습이 반가워 아현의 입꼬리가 설핏 올라갔다.

"미안해. 네가 싫어서 안 그랬던 건 아니었어."

아현이 넌지시 건넨 사과에, 원망이 살짝 섞여 있던 리에나의 눈매가 느슨해졌다. 아현은 구구절절 그녀와 이별해야 했던 이유와, 자신이 그동안 살아온 연대기를 설명하기보다는 펜을 들어 리에나의 머리에 보석 장신구를 달아주기를 선택했다. 꿈에서 언제 깰지 몰랐다. 리에나에게 변명만 하다가 헛되이 시간을 버리는 건 아까웠다. 오랜만에 만난 옛 친구에게 좋은 걸 더 주고 싶었다. 몸에 걸친 장신구가 많아질수록 리에나의 광대가 하늘로 치솟았다. 고작 몇 번의 끄적임으로 행복한 얼굴을 하는 리에나 덕에 더욱 꿈에서 깨고 싶지 않았던 아현이 혼잣말하듯 작게 속삭였다.

"가끔 이렇게 꿈에 나와주라."

이 혼잣말을 들은 리에나가 노발대발하며 바닥을 구를 줄 알았다면, 혼잣말 따위는 절대 하지 않았을 것이다. 리에나는 그럼 예전에 제가 말을 건 것도 꿈인 줄 알았냐며 물었다. 당연하지 않나. 상식적인 사람이라면 그림이 살아 움직이는 게 현실일 거라고는 생각하지 않을 것이다. 군이 입 밖으로 내어 대답하지 않았지만, 리에나는 아현의 얼굴에서 '그렇다'는 뜻을 읽어버렸다. 어떻게 나를 꿈으로 착각할 수 있냐며 절규하는 목소리에 아현의 머리가 어질해졌다.

아현은 등교 준비를 하는 둘째 동생 지현 앞에 다짜고짜 종이 한 장을 들이밀었다. 뭐가 보이냐는 아현의 질문에 지현은 얼떨떨한 목소리로 체통도 없이 대자로 뻗은 귀족 여자애가 보인다고 대답했다. 그 대답에 리에나가 그것 보라며 배를 쭉 내밀었다.

"그럼, 얘가 움직이는 것 같지는 않고?"

"그림이 어떻게 움직여. 아직 잠 덜 깼어? 아니면 잠을 아예 안 잤어?"

지현은 피곤함에 절여져 푸석한 아현의 얼굴을 보고, 아현이 어제 잠을 아예 안 잔 걸로 확정 지은 듯했다. 잠을 안 자니까 이런 얼토당토않은 질문이나 하는 거 아니냐고 나무라려다가, 아현의 몰골에 딱한 마음이 들어 그저 등을 토닥일 뿐이었다. 짧은 인사와 함께 현관문이 닫히고 도어락이 잠겼다. 집에 혼자 남겨진 아현이 종이 속에서 뒹굴뒹굴하는 리에나를 바라봤다.

일단 정리해 보자면, 리에나는 진짜 움직인다. 꿈도, 환상도 아니었다. 가족들은 리에나를 볼 수 있지만 그녀가 움직이고 있다는 걸 인식하지는 못했다. 그냥 멈춰 있는 그림으로 보이는 듯했다. 아현은 대학생인 지현 이전에, 등교 시간이 빠른 둘째 동생과 셋째 동생에게도 같은 질문을 했었다. 지현에게 했던 것과 똑같이 뭐가 보이냐는 질문엔 '

앉아있는 공주'라는 대답이 돌아왔다. 아현이 그린 건 정면을 보고 있는 리에나 한 명이었다. 동생들이 말한 '대자로 뻗어 있는 귀족 여자애'와 '앉아있는 공주'라는 대답은 리에나가 정말로 움직이고 있다는 걸 말해준 것이나 다름없었다.

아현이 휴대전화를 쳐다봤다. 어디라도 전화해서 제가 미친 거냐고 물어보고 싶었다. 하지만 어디에 전화한단 말인가? 자신이 미친 것 같다고 119에 신고를 할 수 있을 리도 없고, 속을 터놓고 말할 만큼 친한 친구도 없었다. 그렇기에 일단 정신이라도 차리자는 마음으로 볼때기를 쳐댔다. 그 꼴이 웃겼는지 리에나가 깔깔거렸다.

"대체 어떻게 움직이는 거지?"

"나도 모르지! 너한테 할 말이 있다고 생각하니까 몸이 저절로 움직이던데?"

이쯤 되니 리에나의 그 할말이라는 게 뭔지 궁금해졌다. 대체 무슨 간절한 사연이 있길래 움직이기까지 하며 저에게 말을 걸까.

"그 할 말이란 게 뭔데?"

리에나는 그 말을 기다렸다는 듯이 정리되지 않은 말들을 우다다 뱉어냈다. 그렇지 않아도 높은 톤인 목소리에 다급함 마저 추가되니 정신이 쏙 빠졌다. 리에나의 요지는 이렇다. 아현이 리에나에게 준 것은 그녀의 외향과 이름, 딱 그뿐이었다. 다른 설정이랄 것은 없었다. 하염없이 저를 그려주길 기다리며 시간을 때우던 덕에 생각할 시간이 많았던 리에나에게 별안간 황태자비가 되고 싶다는 꿈이 생겨버린 것이다. 사랑과 권력을 모두 아우를 수 있는 여성의 최고 권위자인 황태자비가. 그러니 자신이 황태자비가 될 수 있게 리에나의 세계를 완성해달라는 부탁이었다.

그 긴 시간 동안 자신을 끊임없이 기다리기만 한 리에나에게 면목이 없어져 미안하기를 잠시, 리에나의 말을 들을수록 아현의 눈동자에 황당함이 쌓여갔다.

"그래서 말인데, 일단 내 방부터 그려주면 안 될까? 미래의 황태자비가 쓸만한 방!"

리에나가 아현에게 가장 먼저 부탁한 건 그녀의 방이었다. 푹신한 침대에서 잠을 자보고 싶다는 소원은 황태자비가 될 영애의 소원이라기에는 소박하기 그지없었다. 그렇기에 거절의 말을 전해야 하는 아현은 미안함을 넘어 송구스럽기까지 했다.

"저기, 리에나. 미안한데 나 취업 준비해야 해. 그림 그릴 시간 없어."

지금껏 봐왔던 것처럼 당장 방을 그려달라 소리라도 지를 줄 알았던 리에나는 의외로 조용했다. 의기소침해진 리에나가 이때까지도 기다렸는데, 더 기다린다고 문제가 되지 않는다며 발라당 누워버렸다. 아현은 오히려 그 모습이 더 곤란했다. 악다구니를 쓰며 떼를 쓰는 편이 달래기도 쉬웠을 것이다. 리에나에게서 부모님의 바람대로, 동생들의 등쌀에 밀려 원하던 것들을 꾹 눌러 참으며 살던 어린 시절의 자신이 겹쳐 보였다. 제 손으로 만들어 냈으면서, 자신과 똑같은 처지로 방치할 수는 없었다.

책임감으로 움직인 손이 빠르게 침대를 그려냈다. 침대 뿐만이 아니었다. 쿠션, 작은 샹들리에, 흰 탁자 위에 귀여운 찻잔까지. 리에나의 주변은 어느덧 그녀를 닮은 아기자기한 물건들로 가득 찼다. 볼펜으로만 그리니 밋밋한 느낌이 들어 창고에서 먼지가 자욱하게 내려앉은 색연필도 꺼내왔다. 온통 분홍색뿐인 공간에서 리에나는 발을 동동 구르며 아이처럼 좋아했다. 이면지에 그린 조악한 낙서 하나에도 뛸 듯이 기뻐하는 모습에 마음속 한구석이 울렁거렸다. 원하는 것을 품에 안은 채로 행복해하는 지금의 리에나는 열여섯의 자신이 되고 싶었던 모습, 그 자체였다.

그래서 아현은 살면서 처음으로 정해져 있는 길 위에서 아주 잠깐 멈춰보기로 했다. 리에나가 부탁하는 것들을 그려주기로 약속한 것이다. 리에나에게 자신의 부모와도 같은 존재가 되는 것이 싫었다.

원하는 건 얼마든지 그려줄테니 말해보라는 아현에 리에나는 머릿속에 정리 해놓은 목록을 열거했다. 털이 긴 흰 고양이, 백마가 끄는 빨간 마차, 자기 머리카락 색과 똑 닮은 드레스 등등. 침대 위에 누워 다리를 달랑거리면서, 원하는 것을 하나 말할 때마다 손가락을 하나 접었다. 나중에 가서는 손가락이 모자라 접혀있는 손가락을 도로 피기까지 했다. 이내 무언가 중요한 것이 떠오른 듯 짝, 손뼉을 쳤다.

"일단 황태자비가 되려면 황태자가 필요하지 않겠어? 황태자 머리는 금발로 그려줘. 속눈썹도 금색 이어야 해! 키는 한… 이만큼? 아! 웃는 게 예쁜 사람이면 좋겠어!"

벌떡 일어나 까치발을 든 리에나가 자신보다 한참 위를 가리키며 손을 달랑거렸다. 열정적으로 이상형의 키를 알리는 몸짓에 아현은 황당함을 감추지 못하고 이마를 긁적였다.

"음, 리에나. 너는 황태자비가 아니야. 내가 만든 너는 자유를 사랑하는 귀여운 여자애거든? 갑자기 왜 황태자비가 되고 싶은 건지는 모르겠지만, 황태자 보다는 아까 말한 장모 고양이를 그려주는 게 낫지 않겠어?"

"내가 귀여운 여자애라는 건 인정할게. 그렇지만 난 자유로운 여자애보단 사랑과 권력을 모두 가질 수 있는 황태자비가 되고 싶어. 네가 날 만든 건 맞지만, 내가 어떤 캐릭터가 될지는 내가 정해. 내 미래잖아!."

아현의 아랫 입이 살짝 벌어졌다. 리에나에게서 나오는 단어 하나하나가 아현의 머리를 때리고 지나가는 듯, 강렬한 충격이 느껴졌다. 항상 자신들의 뜻을 고집해 온 부모님과 그저 고개를 끄덕이는 게 전부였던 자신의 지난 삶이 떠올랐다. 자신을 가장 힘들게 했던 그 행동을 리에나에게 해버린 것이다. 몇 초 전 단정 지어 말한 문장들이 부끄러워졌다. 그 덕인지 귓가에 열이 몰렸다.

귓가를 물들인 감정은 그뿐만이 아니었다. 자신이 되고 싶은 모습들을 빚어 만든 리에나가 자신과는 다른 선택을 한 것이 신기하면서도 부러웠다. 강요된 미래를 거절할 수도 있는 거구나. 당차게 자신의 의견을 피력하는 리에나에게 아현은 감히 부정하는 말을 할 수 없다. 만약 지난날 중 딱 하루라도, 이렇게 확고한 얼굴로 원하는 바를 말했다면 부모님은 들어주셨을까? 아현은 멍해진 표정을 지우고자 고개를 살짝 털었다. 이미 시간은 흘렀고, 바꿀 수 있는 과거는 없다. 지금 당장 할 수 있는 것부터 해야 했다. 리에나가 원하는 대로 그녀를 황태자비로 만들어주자고 결심이 섰다.

아현의 결심이 표정으로 비쳤는지 리에나의 안색이 밝아졌다. 자신의 부탁들 들어줄 것으로 확정 짓고는 원하는 것을 술술 내뱉기 시작했다. 아현이 그려야 할 목록들이 실시간으로 불어나고 있었다. 그 많은 것들을 어떻게 그리냐고 투정하니 리에나는 일단 딱 서른 개만 그려달라며 입바른 소리를 했다. 서른 개에서 끝날 것 같지 않긴 하지만 일단 펜을 들었다.

아현은 지난달 신청한 취업지원금으로 작은 태블릿 PC를 구매했다. 취업 준비를 해야 하며 써야 할 돈이었지만 리에나의 부탁들을 다 들어주기 위해서는 손 그림보다보다 디지털 그림이 훨씬 나을 것 같았다. 리에나를 방치하지 않기로 마음먹은 뒤, 아현은 리에나가 행복해 하는 일이라면 뭐든지 해주고 싶었다. 리에나의 부탁을 전부 다 들어주면 끝날 일이니까, 하며 합리화하는 일도 이젠 익숙해졌다. 끝이 정해져 있는 일이라는 생각을 되뇌며 아현은 취업 준비를 미뤄두고 있다는 찜찜함을 애써 외면했다.

어머니는 갑자기 산 태블릿 PC에 의아해했지만, 취업 준비를 위해 구매했다고 하니 딱히 캐물어 보진 않았다. 지난 24년간 모든 말에 수긍하며 살아와서인지 아현의 어머니는 그녀를 의심하는 법을 몰랐다. 게다가 이미 두어 개 봤던 면접 결과를 기다리고 있다는 명분이 있어 큰 의심을 피할 수 있었다. 면접을 본 지 시간이 조금 흐른 상태이고,

아직 연락이 없어 사실상 가망이 없지만 굳이 사실을 말하는 바보 같은 짓은 하지 않았다.

충동적으로 태블릿 PC를 구매해 놓고 뒤늦게 걱정이 됐다. 액정 안에서도 리에나가 움직일까? 하는 의문이 든 것이다. 다행히도 리에나는 종이 위에서만 움직이는 게 아니었다. 태블릿 PC의 흰 캔버스 안에서 이리저리 움직이는 그녀는 지금껏 봐왔던 그 어떤 모습보다 선명했다. 리에나도 그런 자기 모습이 마음에 드는 모양이있다. 언신 얼굴을 더듬거리기에 보석이 박힌 거울 하나를 그려주었다. 그 거울은 리에나의 필수품 중 하나가 됐다. 외에도 그녀가 원했던 마차, 왕관과 보석, 화려한 드레스를 여럿 그려주었다.

그냥 겉모습만 황태자비가 될 수 없다는 항의에 함께 머리를 맞대어 여러 설정도 다듬었다. 리에나는 모두의 반대에도 불구하고 오로지 사랑만으로 자신을 선택하는 황태자의 설정을 무척이나 마음에 들어 했다. 수줍게 볼을 붉힌 리에나가 몸을 배배 꼬는 모습이 퍽 웃겼다.

리에나는 이제 혼자가 아니었다. 그녀의 옆에는 그녀보다 두 살 연상인 금발의 황태자는 물론이고, 티 타임을 즐기는 귀족 친구들도 여럿 생겼다. 그녀에게 머리칼을 물려준 로즈우드 후작과, 인자한 인상의 어머니, 그리고 리에나를 닮은 동생들도 선물했다. 좋은 것만 주고 싶은 아현과 달리 리에나는 자신과 반대되는 입장의 무리도 그려달라고 부탁했다. 아름답고 명예로운 여성에게는 언제나 넘어야 할 역경이 따른다고 했던가. 역경을 넘어 황태자비가 되는 줄거리도 재미있을 것 같아 흔쾌히 그려주었다. 아현이 그려준 그림 중 리에나가 가장 좋아하는 것은 궁전 뒤 크게 꾸려진 장미 정원이었다. 황태자비의 의복을 갖춰 입은 리에나는 그곳에서 장미 냄새를 맡는 일을 즐겼다.

북적이는 사람들 속 리에나는 이전처럼 외로워 보이지 않았다. 리에나의 말로는 그들도 리에나처럼 말을 한다는데 아현이 보기에는 그들은 그저 그림이었다. 희한하게도 아현에게 들리는 목소리는 오직 리에나의 것뿐이었고, 아현의 눈에 보이는 움직임 또한 오직 리에나 한정이었다.

그것뿐 아니었다. 그저께 아현은 지금껏 종이에 그렸던 수많은 리에나와, 태블릿PC에 그려진 리에나를 한데 모아보았다. 그 많은 리에나가 다 움직일까? 하는 호기심으로 해본 실험이었다. 신기하게도 단 한 명의 리에나만 움직였다. 바로 아현과 가장 가까이에 있는 리에나였다. 리에나와 함께 하는 시간이 늘어날수록 아현은 그녀와 자신이 보이지 않는 끈끈한 무언가로 연결되어 있다는 생각이 들었다. 그건 리에나도 마찬가지였다.

"당연한 결과야. 너랑 나는 특별한 사이니까. 그렇지?"

하얀 이가 훤하게 보일 만큼 웃는 리에나는 묘하게 뿌듯해 보였다. 아현이 리에나를 각별하게 생각하는 것만큼, 리에나도 아현을 소중히 여기고 있었다. 아현의 심장이 조금 빠르게 박동했다. 충만한 행복감에 아현 또한 환하게 웃어버렸다. 웃고 있는 자신의 얼굴이 어쩐지 리에나와 닮은 것 같다고, 아현은 생각했다.

*[안녕하세요. 아이 돌봄센터입니다. 합격하신 것을 축하드리며 입사 관련해서 안내해 드립니다.]*

생각하지도 못한 문자메시지에 아현의 얼굴이 굳었다. 당연히 탈락일 줄 알았는데. 예기치 못한 합격 소식에 맨 처음 떠오른 건 당연히 리에나였다. 회사에 입사하면 리에나를 그릴 시간은 당연히 줄어들 수밖에 없다. 어쩌면 바쁜 일정에 치여 아예 뒷전이 될 수도 있었다. 마음을 단단히 먹은 상태로 작별 인사를 해도 아쉬울 상황인데 갑자기 들이닥친 취업이 달갑지 않았다.

아현은 할 말이 있다며 태블릿 PC 속 리에나를 불렀다. 어떻게 말해야 하나 망설이고 있는데, 평소 같으면 무슨 일이냐고 명랑하게 물어볼 목소리가 잠잠했다. 리에나 역시 아현과 마찬가지로 무언가를 말하지 못하고 입만 달싹거렸다. 아현은 아쉬운 표정을 숨기지 못하고 치맛자락을 쥐락펴락하는 리에나의 모습에 그녀 또한 마지막 부탁을 하려는 게 아닌가 짐작했다. 이미 리에나가 말했던 서른 개는 훌쩍 넘었다. 최근 들어 그려달라고 요청할 것들을 쥐어짜며 고민하는 기색을 느꼈는데, 정말 부탁할 것이 다 동이 난 걸지도 몰랐다. 한편으로는 다행이었다. 쌓인 일들에 쫓겨 리에나를 등한시하는 것 보다, 서로의 미래를 응원해 주는 끝마무리가 더 나으니까. 단지 그 마무리가 생각보다 이르다는 게 서운했다. 그 누구도 먼저 운을 떼지 못하고 머뭇거리며 몇 분의 시간이 흘렀다. 먼저 용기를 내 말을 한 건 리에나였다.

"이제 마지막 부탁이야. 날 계속 그려줘. 멈추지 말고 매일 매일 날 그려줘."

아현은 당황할 수밖에 없었다. 아현이 짐작했던 리에나의 마지막 부탁은 '황태자와의 결혼식을 그려줘. 내 머리를 닮은 붉은 장미가 가득한 결혼식이었으면 좋겠어.' 같은 아름다운 마무리였다. 리에나가 계속 자신과 함께해달라 부탁하는 것은 예상 밖이었다.

리에나와 함께 하는 동안은 정말로 꿈 같은 시간이었다. 리에나가 부탁했던 그림들은 대체로 아현이 그리고 싶었던 것들이었다. 그동안 억눌려왔던 그림들을 마음 놓고 그릴 수 있었던 건, 끝을 알고 있었기 때문이었다. 리에나와 함께하는 일이 한순간의 일탈이라고 생각했다. 지금까지 좋았는데, 하필이면 마지막인 부탁을 거절해야 하는 게 속이 쓰렸다. 그렇기에 입을 떼는 게 쉽지 않았다. 리에나와의 마지막 대화를 안 좋은 기억으로 남기기 싫었다. 아현은 연신 입술을 달싹거리기만 하다가 겨우 입을 열었다.

"…리에나, 나는 평범하게 살아야 해. 난 안정적으로 나오는 돈 따박따박 받으면서 살아야 한다고 했거든. 내가 사는 곳에서 그림을 그리면서 사는 건 평범한 일은 아니야. 수입도 안정적이지 않고 잘될 거라는 보장도 없어. …그리고 무엇보다 나는 평범하지 않은 게 조금 무서워."

아현은 이미 오랜 시간 동안 평범함을 주입 받으며 살아왔다. 평범한 인생을 사는 것은 아현의 의지와는 상관없이 어느덧 그녀의 삶이 되어 있었다. 스스로 정립하지 않은 가치관이더라도, 이미 그 가치관은 아현이 살아온 인생의 기둥이었다. 아현은 삶을 지탱하고 있는 기둥을 부수는 게 무서웠다. 아직도 안전한 미래를 고집하며 저를 다그치는 어머니의 목소리가 선연했다. 그런 아현을 보는 리에나의 고개가 갸우뚱 기울었다.

"아현아, 내가 무서워? 나는 평범하지 않잖아. 어떤 그림이 이렇게 말을 걸고, 움직이겠어?"

리에나의 말이 맞았다. 리에나는 절대 평범한 그림이 아니다. 평범하지 않은 리에나가 무서운가? 스스로 질문했다. 답은 빠르게 내려졌다. 리에나는 무섭지 않았다. 오히려 붉은 머리칼을 직접 빗겨주고 싶을 만큼 사랑스러웠다.

아현은 슬며시 눈을 감고 리에나를 그리면서 사는 미래를 상상했다. 붉은 머리칼을 매일 그려주며 가끔은 금색의 장신구도 달아주겠지. 리에나가 한눈을 판 사이 붉은 보석이 아닌 파란 보석을 다는 장난도 칠 것이다. 뒤늦게 알아버린 리에나는 불같이 화를 내다가도 같이 웃어버릴 것이다. 지난 며칠간처럼 서로의 웃음을 닮아가는 저희의 모습은 상상만으로도 미소를 짓게 했다.

김아현 평범한 사람이라는 한계에 틀어박혀 살아왔으며, 리에나는 그런 제 손으로 만들어낸 특이점이었다. 그녀를 만들어 냄으로써 자신은 이미 평범한 사람이 아니게 됐다는 걸 깨달았다. 아현은 이미 자신도 모르는 사이에 걸어가야 할 길옆에 난 작은 샛길을 걷고 있었다. 샛길을 걷는 건 즐거웠다. 어떨 때는 콧노래를 흥얼거릴 정도였다. 이 행복을 뒤로 하고 뒤 돌아 걸으면 원래 가던 길을 찾을 수 있을까? 아현은 고개를 저었다. 리에나의 부탁을 들어주기로 했을 때부터 아현은 자신의 길을 스스로 튼 것이나 다름없었다. 안정적인 직장을 걷어차 버린 지금을 후회할지도 몰랐다. 하지만 지금 자신의 꿈을 등지면 평생 후회할 것이라 확신했다. 내가 무슨 캐릭터가 될지는 자신이 정한다는 당찬 목소리를 떠올렸다. 내가 어떤 미래를 살아갈지 선택하는 건 결국 나였다. 리에나와 함께하는 미래가 지금의 자신을 위한 최선의 선택이었다.

"앞으로도 계속 널 그려보고 싶어."

리에나가 까르르 웃으며 방방 제자리뛰기를 했다. 너라면 당연히 부탁을 들어줄 줄 알았다며 배를 쭉 내밀고 은근한 허세를 부리기도 했다. 믿고 있었다는 말에 괜스레 마음이 찌르르 울렸다.

"내 세계를 그려줘서 고마워."

그 말은 어린 시절의 아현에게서 태어나 어른이 된 아현의 삶을 행복으로 이끌어준 리에나의 마지막 말이었다. 붉은 장미가 별처럼 수놓인 정원에서 리에나가 멈췄다. 아현 또한 리에나에게 내 세계를 시작해 줘서 고맙다고 전하고 싶었다. 그림을 그릴 수 있는 미래는 아현에게는 새로운 세상이나 마찬가지였다. 어쩌면 리에나는 제 세계를 시작해 주기 위해 저를 찾아온 게 아닐까. 멈춰버린 리에나에게 대답을 들려주지 못했지만 아쉽진 않았다. 리에나는 이미 아현의 대답을 들은 거나 마찬가지였다.


아현은 리에나와 함께 완성한 그녀의 세계를 웹툰으로 다듬었다. 리에나와 함께 만들었던 설정들 덕에 세계관이 탄탄했다. 하지만 학창 시절 공부만 했던 아현은 웹툰에 대해 아는 게 별로 없었다. 각색하면서도 가장 많이 든 생각이 '제대로 하고 있는 게 맞나?'였다. 그래서인지 웹툰 회사에 투고하는 족족 떨어졌다. 리에나가 잘 만들어놓은 설정이 제 미숙함 때문에 빛을 발하지 못하고 있다는 게 퍽 미안했다.

리에나의 세계를 더 고르게 다듬기 위해 누군가에게 조언받고 싶었다. 그리고 생각해 낸 사람은 사촌 언니 미진이었다. 미진은 삼수만의 좋은 미대에 합격했다. 졸업 후 유명게임의 원화가로 활동하고 있다는데, 워낙 유명한 게임이라 아현도 티브이 광고에서 몇 번 본적이 있었다. 게임 원화가이니 스토리와 그림 전반에 대한 피드백을 받을 수 있을 것 같았다. 너무나도 오랜만에 연락하는 것이 민망했지만, 리에나를 위해서라고 생각하니 절로 용기가 솟았다. 미진과의 약속은 순조롭게 잡혔다. 제 사정을 얘기하니 흔쾌하게 도와주겠다는 미진이 고마우면서도, 한때 어머니의 흉이란 흉은 모조리 들었던 전적이 있어 제가 한 일이 아님에도 괜스레 미안했다.

부모님에게 하고 싶은 일이 있다고, 결과가 어떻든 도전해 보고 싶다고 말하고 싶었다. 하지만 원래 안 해오던 짓을 하려니 입이 떨어지질 않았다. 마음먹기를 벌써 며칠째, 마음을 먹는 쉬운데, 실제로 행동하는 게 어려웠다. 언제 말하나 간을 보다가 미진과 약속을 잡은 날짜가 됐다. 오늘이 적기였다. 어차피 사촌 언니에게 전해진 말은 곧 가족 내에도 돌 테니 제 입으로 먼저 말하고 싶었다.

"저 그림 그리려고요. 웹툰 준비 중이에요. 오늘 미진 언니 만나서 조언 좀 받아보려고요."

아현의 입에서 폭탄처럼 날아간 말이 식탁 중앙에 내다 꽂혔다. 꽤 강단 있는 발언에 아침을 먹던 부모님이 밥숟가락을 든 채 멈췄다. 어떤 반응이 돌아올지 몰라 어깨를 잔뜩 굳힌 게 무색하게도 돌아온 대답은 '웹툰이 뭔데?'였다. 일만 하던 아버지에게 웹툰 자체가 생소할 수 있다는 걸 간과했다. 휴대전화로 보는 만화라는 대답에 큰소리가 난 쪽은 어머니였다.

"만화?! 그림 그리겠다는 거야? 너 취업은?"

"일단 웹툰부터 도전해 보려고요. 예전부터 해보고 싶었던 일이에요."

어머니의 미간이 팍 찌푸려졌다. 부정적인 의미를 담은 말들이 어머니의 목구멍 안쪽에서 넘실거리는 게 느껴졌다. 아현은 어머니의 입이 떨어질세라 서둘러 태블릿 PC의 화면을 들어 보였다. 배경 화면 속에서 밝게 웃는 리에나의 그림에 잔소리를 장전하던 어머니의 얼굴에 의문이 피었다.

"제가 그린 거예요. 저 그림 그리는 게 너무 재밌어요."

그림을 보여주는 건 처음이었다. 부모님의 눈이 화등잔만 하게 커졌다. 동그란 눈들이 연신 깜빡거리며 서로를 마주했다. 잘 그리네? 아버지의 입에서 나온 인정의 말에 아현이 숨을 들이켰다. 칭찬을 받을 줄은 몰랐는데, 생각보다 반응이 괜찮았다. 하지만 어머니는 여태 탐탁지 않은지 곧바로 꿍얼거리는 말들이 뒤따랐다. '그림은 돈이 안 된다' 부터 시작해서 '이 세상에 그림 잘 그리는 사람이 얼마나 많은데'와 같은 말들에 아현은 내심 씁쓸함을 느꼈다. 어머니의 말이 맞았다. 세상에 그림을 잘 그리는 사람은 널리고 널렸다. 웹툰 출시가 실패할 수도 있었고, 출시에 성공한다고 하더라도 인기가 없을 수도 있었다. 하지만 괜찮았다. 일이 어떻게 풀리든 그림을 그리는 그 자체가 행복했으니까. 해보기로 마음먹었으니 어떤 안 좋은 말이 따르더라도 해내 보고 싶었다.

그리고 아현은 요즘 자신감도 생겼다. 제가 봐도 제가 그린 리에나가 꽤 예뻐졌기 때문이었다. 어머니의 불퉁한 말은 아버지의 제지에 의해 막혔다. 멋쩍게 서 있는 아현에게 가보라며 손짓한 아버지는 무언가를 생각하는 듯 손가락으로 툭, 툭 식탁을 두들겼다.

아현이 실이라면 태블릿 PC는 바늘이었다. 집을 나서기 전 봇짐 같은 무거운 가방을 살피는데 태블릿 PC에 붙어있어야 할 펜이 없었다. 침대 머리맡과 방바닥을 샅샅이 뒤져도 보이지 않던 펜을 필통 안에서 찾았다. 아현이 고등학생 시절부터 쓰던 필통이었다. 연필과 흡사한 태블릿 펜의 모양새에 가족 중 누군가가 착각을 한 것 같았다. 잃어버린 게 아니라는 안도감에 가슴을 쓸어내렸다. 필요한 것을 챙긴 아현은 필통을 서랍장 위에 올려두려다 멈칫 했다. 필통 안에 있는 수능 샤프를 발견한 것이다. 세월의 흔적이 보이는 꼬질꼬질한 샤프가 저 홀로 눈에 띄었다. 제 손에 들려있는 하얀 펜과 때 탄 수능 샤프를 번갈아 봤다. 오늘따라 태블릿 펜이 더욱 하얘 보인다는 작은 소감과 함께 미련 없이 필통의 지퍼를 닫았다.

다녀오겠습니다. 아현은 일부러 덤덤한 목소리를 냈다. 하고 싶은 일을 하겠다고 선언한 것뿐인데 눈치를 보고 싶진 않았다. 리에나처럼 당당하게 어깨를 활짝 폈다. 그대로 현관문을 나서려는데, 등 뒤에서 나직한 목소리가 아현을 불렀다. 뒤를 도니 작은 소리를 속닥거리며 티격태격하는 부모님이 보였다. 아버지는 뒤에 숨은 어머니를 슬쩍 앞으로 밀었다. 어머니는 말을 고르는지 입을 열었다 닫았다 반복하더니, 결국 도로 아버지의 뒤로 가버렸다. 아버지는 그런 어머니를 보고 허허, 하고 웃더니 말 한마디를 툭 꺼냈다.

"열심히 해 봐."

그 무심한 말 한마디가 아현의 가슴속에서 파동처럼 퍼져나갔다. 우렁차게 그러겠다 대답한 아현이 홀가분한 발걸음으로 집을 나섰다. 추우니 옷을 단단히 여미라는 어머니의 외침이 희미하게 들렸다.


약속 장소는 미진의 집 근처 카페였다. 미진에게서 조금 늦을 것 같다는 연락이 왔다. 퇴근이 생각보다 늦어진다며 우는 이모티콘이 함께 날라왔다. 그림을 그리고 있을 테니 천천히 오라는 답장을 보냈다. 미진에게 보여줄 시놉시스와 장면들을 손보고 있을 요량이었다. 리에나의 캐릭터 시트를 보는데 어딘가 모르게 허전한 느낌이 들었다. 화면을 확대해 여기저기 살피는데, 귀걸이가 밋밋했다. 루비를 깜빡한 게 분명했다. 리에나가 다시 말을 걸 수만 있다면 아마 바락바락 화를 냈을 것이다. 들리는 소리가 없는데도 혼나는 느낌이 들어 아현은 황급히 루비를 그렸다. 그러다가도 그런 제 모습이 웃겨 킥킥거리며 웃고 말았다.

"난 지금 행복해. 리에나 너도 여전히 행복하지?"

리에나는 더 이상 아현의 말에 대답해 주지 않는다. 하지만 아현은 알았다. 그림을 그리는 아현의 행복이 리에나를 행복하게 만들 거라는 것을 말이다. 어디선가 리에나를 닮은 명랑한 웃음소리가 들리는 듯했다.

# 금계국

은희

은희

어릴 적부터 들리는 말보다 제 눈앞에 펼쳐지는 상상을 관찰하며 놀던 아이는 지금도 여전히 길을 걷다가, 커피를 마시다, 버스를 기다리다가 종종 시야에 들어온 상상을 따라가곤 합니다. 그러다 상상을 피워낸 마음에 도달하면, 그 마음과 속삭임을 나누는 것이 저의 오랜 취미입니다.

스스로 귀 기울이고 사랑하기가 참 어렵게 느껴지는 하루를 보내게 될 때면, 잠시 하던 것을 내려두고 저 자신에게서 한 걸음 멀어져 바라봐주곤 합니다. 가쁘게 쿵쿵 두드리던 호흡의 울림과 마주하다 보면, '나의 이 감정은 너에게서 왔구나.' 하며 자신을 이해하고 오롯이 바라봐 줄 용기를 발견합니다.

이제는 언젠가 또다시 어려운 순간에 마주하였을 때, 편한 숨을 쉬었던 날들을 기억하고자 조각 글을 쓰고 있습니다. 오늘은 이른 오후의 햇살이 되어, 마음 깊이 부딪히던 파도와 함께 흐르는 바람결을 헤엄치다가 돌아왔습니다. 당신에게도 이 선선한 바람이 닿았으면 합니다.

안녕, 오랜만이야

늦더위가 서늘한 바람에 밀려 잊힐 무렵의 아침, 문 앞에 한 문장의 엽서와 작고 노란 꽃 화분이 놓여있었다. 보내는 이도 꽃의 이름도 적혀있지 않았지만, 윤주는 단번에 알아보았다. 금계국 화분, 낯익은 글씨체로 묻는 물음표 없는 안부를 보낼 사람은 유진뿐이었다. 잊고 있던 윤주의 오랜 친구 유진이 돌아온 것이다.

새벽 5시 29분, 한 시간 반 전에 젖을 물리고 다시 재운 아이는 아직 두 주먹을 꼭 쥔 채 새근새근 작고 일정한 호흡을 쉬는 중이었다. 가끔 서너 시간 내리 잘만 자다가도 어떨 때는 한 시간도 안 되어 깨어나 보채는 것이 다반사였기에 윤주는 긴장을 놓을 수가 없었다. '기저귀는 어찌나 많이 갈아야 하는지. 나도 저렇게 자주 먹고 많이 먹는 아기였을까. 언제쯤 조금이라도 마음 놓고 잘 수 있을까.' 윤주는 벽에 잠시 기대앉아 차가운 양손으로 얼굴을 덮어 마른세수하듯 위아래로 몇 번 문질렀다. 윤주의 부스럭거림에 구겨진 얼굴로 고개를 든 남편은 윤주를 등지고 벌떡 일어나 어기적거리며 멀어졌다. 잘 잤냐는 일상의 안부 대신 옷가지만 챙겨 방을 나가는 남편의 뒷모습을 쫓다가 윤주는 무거운 눈꺼풀을 내려감았다. 얼마 전부터 간헐적으로 윤주의 이마를 두드리던 두통과 어지러움은 그 간격이 점차 짧아져 요즘은 전에 없던 삐- 하는 이명까지 틀어주며 괴롭히는 중이었다. 임시방편으로 양쪽 눈가 주위를 엄지로 꾹꾹 서너 번 짓누르고 나니 울렁거리는 느낌은 덜해졌는지 윤주는 천천히 벽을 짚으며 일어났다.

타이레놀 500. 1~2알씩 하루 4번까지/모유 수유 시 2시간 간격.

참고 참다가 결국 엊그제 약을 받아올 적에, 먹는 건 괜찮은데 복용량은 꼭 지켜야 한다고 당부하며 적어주던 약사 선생님의 표정을 떠올렸다. 반백의 단발머리를 곱게 넘긴 이마 한가운데까지 올라간 미간 주름이 무척 안쓰럽게 마주하던 것이 기억난 윤주의 마른 입술 사이로 괜스레 부스스 옅은 웃음이 새어나갔다. 예정된 결혼 후 남편과 가까스로 모은 전세자금에 맞춰 이사 온 일산은 분가 전 윤주가 엄마랑 단둘이 살던 성남보다 추운 것인지, 적응이 덜 되어 그런 것인지 입주 후 반년 정도는 잔병을 달고 다녔다. 더욱 잦아진 감기에 어느새 그 동네에 하나뿐인 건너편 주공 아파트 상가 2층 약국의 단골손님이 되어 사소한 일상을 나누는 사이까지 되었다. 대부분은 약사 선생님이 돌아서는 윤주의 발길을 유자차 한 잔에 붙잡아 두고 동네 이야기를 전해 주는 것이었지만, 덕분에 알게 된 소소한 소식들에 안부를 묻는 것이 작은 일상이 되었고, 친인척 하나 없이 남편과 단둘이 넘어온 이 낯선 곳에 지인이 하나둘 생겨 윤주는 그제야 정착하는 느낌을 받앗다. 아주 어릴 적 홀로 낯설고 적막한 바다마을 할머니 집에 맡겨졌을 때처럼, 동네에서 겉돌던 윤주에게 약사 선생님은 윤주의 손을 잡아준 유일한 사람이었다. 작년 봄, 윤주가 감기 때문에 어쩔 수 없이 임신 사실을 말하자 대뜸 손부터 잡으며 남편이나 친정엄마보다 벅찬 눈빛을 보여 주던 약사 선생님은 말없이 자리를 나와 윤주를 품에 끌어안아 주었다. 그 품의 포근함이 몇 달이나 지난 지금까지도 어깨 주변에 아련하게 남은 듯한 간지러운 느낌에 윤주는 자신의 양팔을 쓸어내렸다.

　출근길을 나서는 남편이 휴대전화 액정을 손으로 넘기다 버스 시간이 다가왔는지 다녀온다는 건조한 한마디를 던지며 허둥지둥 현관문을 열다 문밖에 걸린 무언가를 보고 윤주를 불렀다. 엽서가 꽂혀있는 화분이었다. 문이 다 열리기도 전에 엘리베이터 버튼부터 누르며 힐레벌떡 서두르는 남편에 얼떨결에 화분을 받아 든 윤주는 혹여 꽃가루가 날릴까 아이 방에서 가장 멀리 있는 부엌 창가로 급히 화분을 옮겼다. '누가 보낸 것일까. 여리여리한 연녹색의 줄기 끝에 피어있는 크고 작은 노란 금계국 몇 송이. 언젠가 길을 가다 보았던가. 어딘가 익숙한 꽃이다.' 윤주는 줄기 틈에 세워진 엽서를 꺼내 본 순간, 아 하는 작은 탄식을 뱉었다.

　안녕, 오랜만이야

　물음표 없는 담담한 인사 한마디. 꾹꾹 눌러쓴 듯한 동그란 글씨체. 유진이었다. 고등학생이 되고 나서부터 볼 수 없었던, 까맣게 잊고 있었던 윤주의 어렸을 적 단짝이었다. '왜 연락도 없이 이제야 돌아온 것일까. 그동안 유진은 어떻게 살아왔을까. 내가 기다렸던 만큼 유진도 내가 그리웠을까.' 윤주는 한참 동안 싱크대에 기대어 금계국을 바라보다 끝방에서 들려오는 아이 울음소리에 생각을 멈추고 달려갔다. 아이의 단잠을 깨운 원인인 듯한 휴대전화 진동이 바닥에서 울리고 있었다. 탁상 위 올려두었던 휴대 전화가 연속되는 진동으로 바닥에 떨어졌음에도 그 떨림을 멈추지 않았다. 아이를 안은 채 엉거주춤 쪼그려 앉아 휴대전화를 확인하는 바람에 다시 저릿하게 퍼지는 꼬리뼈 통증이 느껴진 윤주는 무릎을 펴내지 못하고 그대로 풀썩 주저앉았다. 윤주의 왼팔에 부슬부슬한 뒤통수를 문대던 아이는 전보다 더 힘차게 울어댔다. '이까짓 것도 못 하고. 내 마음대로 할 수 있는 게 하나도 없다. 왜 이렇게나 하찮게 된 걸까.' 오른손에 쥔 휴대전화 통화 버튼 위 발신자의 이름을 덮은 엄지로부터 옮겨진 진동으로 떨리는 손가락이 차마 붉은 버튼을 넘기지 못하고 머뭇거려 미간의 주름이 하나둘 모였다. 한참 뒤 진동이 끊긴 후에도 짧은 연속으로 이어지던 알림은 미확인 메시지 열몇 개를 한꺼번에 쏟아내었다. 한 달 전 이미 육아휴직이 시작되었음에도 오히려 업무 연락은 시도 때도 없이 윤주를 따라다녔다. 출산 예정일 2주 전까지 재택근무를 병행하며 인계를 모두 마쳤음에도, 너도나도 모든 일을 윤주에게 물어보기 바빴고 심지어 간단한 업무라며 잠깐 시간을 내달라는 무례한 요청도 종종 쳐들어왔다. 매번 부탁할 사람이 자신뿐이라는 말들에 어처구니가 없어 윤주의 미간은 쉽게 풀리지 않았다. 빨간 동그라미가 표시된 메시지 창을 노려보다 찌그러진 눈두덩이 따끔해지는 것이 느껴지자, 윤주는 휴대전화를 무음으로 바꿔 아예 멀찍이 엎어두고 가까스로 침대 모서리를 짚어 허리를 구부정하게 세웠다. 휴직 후 처음으로 무시한 업무 연락이었다.

윤주는 품에 안아 온 집안을 돌아다니며 등을 토닥여주던 아이를 결국 소파에 내려두었다. 아까 제 할당량의 배를 채웠음에도 칭얼거리던 아이는 알 수 없는 이유로 윤주를 밀어내며 또다시 발버둥 치는 것이었다.

"왜, 잠이 또 안 와? 얼른 자야 할 텐데, 무영아."

지난여름, 아직 불러있던 묵직한 배를 양손으로 감싸들고 출근길의 육교를 홀로 등반할 때면 어김없이 주변을 따라다니며 울어대던 수십 마리의 매미 떼가 다시 등 뒤에서 스멀스멀 몰려오는 것이 느껴진 윤주는 내리 꺼지는 단발의 숨을 뱉어냈다. 머리 위를 내리쬐는 따가운 태양 빛, 그때마다 윤주 앞을 막아서는 붉은 신호등 불빛과 얇은 단화 밑창을 밀어내는 볼록한 보도블록, 그리고 피할 곳 없이 귓가를 때리는 검은 매미 무리 떼창. 윤주는 소파에 고개를 뒤로 젖혀 양손으로 귀를 꽉 덮었다. 급히 올린 팔뚝이 뻐근하였는지 윤주의 미간 주름이 깊어졌다. 그 와중에도 곁눈질로 내려다볼 수밖에 없는 아이는 오직 윤주만을 향해 뭉뚝한 팔다리를 휘저으며 온 힘을 다해 울어 젖혔다. '목도 못 가누면서.'

저 이불 더미에 쌓여 구겨진 회색 잠옷처럼, 윤주는 오늘도 침대 한 구석에서 낮잠이 든 아이를 지켜보다가 벽을 마주한 채 눈을 감았다.

아이를 재우다 간혹 잠에 들면 늘 같은 꿈에서 눈을 뜨는 윤주였다. 노을이 지는 빈 교실. 아마 아주 오래전 여름 방학식을 마친 어느 날, 윤주가 할머니 집에 맡겨지기 전 엄마를 기다리다가 하교 시간이 한참 지난 오후일 것이다. 모두가 집으로 돌아간 빈 교실이지만 어깨 위에 내리는 익숙한 온기 덕분에 윤주는 오히려 잠들기 전까지 눈두덩과 이마를 쥐어박던 두통이 사그라드는 것을 느꼈고, 일어나서도 어느 정도 해소되는 것을 보아 그 고요함이 웬만한 진통제보다 효과가 꽤 괜찮은 것 같다고 생각하였다. 윤주에게 그 꿈은 어릴 적 마음을 나누던 친구 유진이 사라진 이후, 유일한 도피처로서 오직 윤주만의 공간이었다. 그 꿈에서 윤주는 항상 교실 뒤편 철제 사물함에 기대선 채로 혼자 책상에 엎드려 자는 어린 자신의 뒷모습을 지켜보기만 한다. 그러다 교실 안을 노랗게 채우는 햇빛에 나른한 눈가가 느껴지면, 그 자리에 웅크려 앉아 무릎 위에 손등을 겹쳐 한쪽 볼을 기대어 꿈이 끝날 때까지 교실 바닥에 잔잔하게 퍼지는 옅은 숨소리를 듣다가 간다. 어제도 그 작은 새근거림을 바라만 보다가 돌아왔다. 윤주는 이제 다시 그 꿈으로 들어갈 참이다.

"오늘은 빈자리네."
나는 주변을 두리번 돌아보았다. 늘 보이던 어린 나의 모습이 없었다. 오늘 들어온 꿈의 시간은 평소보다 조금 더 이른 낮인지, 커튼 틈새로 평소보다 연한 노란빛이 보였다. 어제까지 구경만 하던 그 자리로 가까이 걸어가 보았다. 맨발로 딛는 테라초 돌바닥이 생각보다 시원하고 매끄러웠다. 조심스레 책상 나무 무늬를 따라가던 손바닥을 펼쳐 지그시 기대었다. 언젠가 정말 이 책상과 머리를 맞대고 잠이 들었던 적이 있다. 검지 손끝으로 표면을 두드리면 귓가에 들리는 뭉뚝한 울림. 나무 갈라진 결에 채워지는 옅은 숨. 모서리에 닿은 옷깃의 부스럭거림. 기대어진 흉곽에서 전해지는 두근거림. 그러다 얕은 잠이 들면, 누군가 머리를 따스하게 쓸어내려 주지 않을까. 내리는 햇빛에 따갑던 마른 등을 두드리며 깨워주지 않을까. 그러다 눈이 마주치면 다정하게 안부를 물으며 손을 잡아 일으켜 주지 않을까. 어린 날, 매번 이런 기다림을 품고 잠이 들었다. 나는 예전처럼 책상에 팔을 베고 엎드렸다. 창문을 향해 고개를 돌리니 때맞춰 햇살이 비쳤다. 순간 찡그려 감긴 눈앞을 덮는 서늘함이 느껴져 덥석 잡아끌었다. 힘없이 이끌린 손은 오랫동안 잊었던 이름, '유진'이었다.

예상하지 못한 얼굴에 뒤늦게 차오르는 울렁임이 느껴져 멈춰 선 나와 달리, 유진은 당황한 기색 하나 없는 말끔한 어린아이의 모습이었다. 되려 유진은 당장 일어서라는 듯이 나의 손목을 꽉 잡아당기더니 막상 일어서자 물끄러미 올려다보기만 하였다. 말없이 마주하는 동그랗고 까만 눈동자에 무어라 입을 달싹이려 하자 유진이 잡은 손목을 붙잡고 달려 나가기 시작했다. 당장이라도 유진을 멈춰 세워 묻고 싶은 말들이 먼저 입 밖을 나가려 앞다투어서 소동이었다. 왜 말도 없이 엽서랑 화분을 두고만 갔어? 문이라도 두드려주지, 당장 너를 보러 나갔을 텐데. 왜 그동안 나를 찾지 않았어? 넌 탈 없이 지내고 있는 거지? 난 너 없이 잘 견뎌내지 못한 것 같아. 내가 기다렸던 만큼, 너도 날 기다렸을까? 꿈속에서 만난 유진에게라도 그동안 전하지 못한 말들을 한가득 쏟아내고 싶었지만, 무작정 쏜살같이 나아가는 유진을 놓칠세라 맞잡은 손목을 아프지 않게 재차 고쳐 쥐며 발 빠르게 재촉할 수밖에 없었다. 어릴 적 사라진 이후 단 한 번의 소식도 찾을 수 없었던 유진이었기에 꿈에서만큼은 놓치고 싶지 않았다. 게다가 이렇게 숨이 차도록 내달린 적이 언제였던가. 조리원 퇴소 후에는 한 번도 맘 놓고 바깥공기조차 쐰 적이 없던 터라, 앞서가는 빠른 몸짓에 맞춰 따라가는 이 가벼운 속도에 발끝에서부터 차오르는 쾌감까지 더해져 내딛는 발마다 힘이 실렸다. 어릴 적에도 함께 할머니 집으로 가는 가파른 언덕길을 오를 때면 유진은 지금처럼 내딛는 걸음마다 힘을 불어넣어 주었다.

한참 복도를 달리는 와중에 점차 목 밑까지 가쁜 숨이 몰려오고 바닥으로 푹푹 발이 빠지는 이질감에 고개를 떨군 나는 그대로 우뚝 멈춰 섰다. 발바닥에 차갑게 들러붙던 진회색의 돌바닥 대신 어느새 고운 연갈색 모래사장 한복판에 홀로 서 있는 것이었다. 감귤 색 짧은 반바지에 하얗고 헐렁이는 반소매 티셔츠. 내려다보는 손과 발가락 모두 반 이상 줄어든 것이 딱 초등학생 정도였다. 맨발의 바다. 오래된 기억 중에 이러한 장면이 있었던가. 오롯이 나를 향해 솨아아 불어오는 푸르른 빛의 파도 소리를 맞았다. 그래, 이곳은,

"어릴 적 딱 한 번, 파도가 세차게 밀려오니 가까이 가지 말라는 할머니 말을 어기고 들어온 적이 있었다. 윤주는 그날, 지금처럼 홀로 서 있던 유진을 처음 만났다."

어디선가 누군지 모를 음성이 자꾸만 바닷바람을 타고 이리저리 맴돌았다. 다시 주위를 둘러보니 유진은 온데간데없이 사라진 뒤였다. 저 멀리 신발 한 켤레가 가지런히 놓여있는 것이 보였다. 아, 유진이 어릴 적 신던 개나리색 운동화였다. 마침 모래가 잔뜩 묻은 느낌이 불편한 참이었다. 나는 저벅저벅 걸어가,

"윤주는 저벅저벅 걸어가 그 신발을 주워 들었다. 윤주의 발밑으로 모래알들이 소곤소곤 말장난하듯 간지럽게 굴러다녔다."

방금 내가 걸어온 저 몇 발짝과 머릿속 말까지 누군가에게 방송처럼 알려지는 중이었다. 발바닥에 묻은 모래를 한 발씩 대충 탈탈 털어내는데, 지금 이 별 뜻 없는 행동들도 똑같은 음성으로 되풀이하듯 불어오고 있었다. 작아진 주먹을 꽉 쥐었다. 누군가 나의 꿈을 들여다보고 있는 걸까. 설마, 꿈에서조차 마음대로 할 수 없게 되는 걸까. 반갑지 않은 불안이 꿈속까지 따라온 것 같았다. 쥐고 있던 신에 발을 조심스럽게 넣어보았다. 다행히 예전처럼 꼭 맞는 신발이었다. 이제부터 무얼 해야 하나. 작아진 몸으로 돌아온 이곳의 태양은 꿈 바깥보다 따갑지도 눈이 시리게 쨍쨍하지도 않았다. 오히려 따스한 것이 아까 잠들기 전까지 안고 있던 아이의 온도만큼이나 포근했다. 기왕 꾸는 꿈이니, 동네 구석구석 유진을 찾아다닐 생각에 발재간이 들떴다. 늘 안고 살던 아이가 없으니 그새 보고 싶으면서도 매일 같이 쿡쿡 쑤시던 양쪽 어깨와 허리 뒤편이 가벼워 실컷 여기저기 뛰어다녀보고 싶었다. 높은 돌계단을 겨우 다 올라와 바닷가를 빠져나오니 익숙한 슈퍼가 보였다. 유진을 만나기 전, 처음 이 바다마을에 덩그러니 내려졌을

때의 나는 처음 보는 세찬 파도에 순식간에 떠밀리는 바람에 한참을 휩쓸려간 적이 있다. 눈조차 제대로 뜨지 못하고 끌려 나온 뒤로 동네 어른들은 나더러 물장구도 못 치는 주제에 왜 자꾸 재수 없이 제 아비처럼 바다에 빠지느냐며 바닷가 모래조차 못 밟게 하였다. 괜한 심통이 난 나는 유진이 찾으러 올 때까지 저 녹색 지붕 슈퍼 앞 평상에 드러누워 바다 냄새 맡는 것으로 만족하고는 돌아갔었다. 그때처럼 대자로 짧은 팔다리를 펼쳐 누워보니 구름 하나 지나다니지 않는 파아란 하늘이 참 멀게만 느껴졌다. 햇볕에 달궈진 나무 바닥이 뜨끈한 것이 아직은 태양을 오래 따라다닐 수 있는 여름인가 보다. 예전처럼 유진을 기다리며 누워만 있다가는 꿈이 끝나버릴 것 같아 벌떡 일어나 손으로 툭툭 엉덩이를 몇 번 털었다. 이제 어디로 갈지는 당연,

"윤주가 이제 어디로 갈지는 당연했다. 저 길로 쭉 언덕을 올라가다 쌀집이 보이면 피아노 소리를 따라 감나무 집 담장 앞에서 늘 유진과 함께 엉성한 춤을 추다가.."

아까부터 자꾸만 주변을 따라다니며 설명을 늘어놓던 수상한 음성이 지금은 평상 한구석 모서리에 놓인 칠이 다 벗겨진 라디오에서 떠들어댔다. 유진을 떠올리는 데에 작아진 머리를 굴리는 것이 안 그래도 바쁜 찰나에 행동과 의도 모두 하나하나 꿰뚫어 보는 듯한 말투가 마치 꿈 밖에서 나를 감시하는 것 같아 달갑지 않았다. 가만히 있던 입꼬리를 억지로 길게 늘여 미운 보조개를 만들고는 깊게 꽂힌 라디오 전선 머리를 쑥 뽑아 자갈 바닥에 던져버렸다.

"나의 꿈이니, 내 마음대로 할 거야."

순간 주변 잡음이 모두 사라졌다. 저 멀리 파도 부딪히는 소리만 간간이 들려왔다. 한결 조용해진 동네에 정말 예전으로 돌아간 것만 같았다. 나는 바다를 등지고 유진과 함께 다니던 마을 길로 다시 나아가기 시작했다.

9살, 늦여름의 일이었다. 매년 방학이 되면 나는 대천 외할머니 집에 맡겨졌는데, 그 해에도 어김없이 나와 같은 처지였던 유진과 종일 마을 곳곳을 쏘다니며 햇볕에 말려지다가 어두워지면 할머니 할아버지 사이로 살금살금 기어들어가 자는 것이 일상이었다. 어차피 그 당시에는 휴대전화나 게임기는커녕 컴퓨터도 흔하지 않아 직접 두 발로 뛰어놀 수밖에 없었다. 나와 유진은 종종 쌀집 맞은편 감나무 집 담장 앞을 기웃거리며 돌담 틈에서 흐르는 피아노 연주를 따라 까치발로 총총 춤을 추었다. 그러다 그 집 대학생 언니 눈에 들면, 언니가 우리를 옆에 앉혀두고 그림을 그려주거나, 피아노를 가르쳐 주었다. 우리가 어설프게 손을 맞춰 피아노 건반을 뚱땅뚱땅 두드리고 나면 언니가 새빨간 자두를 두어 개 쥐여줬는데, 작은 입으로 깨물면 퍼지는 달콤함에 입꼬리가 저절로 올라가 볼 한가운데가 옴폭 파이도록 까르르 웃었던 기억이 있다. 쌍둥이처럼 똑 닮은 어린아이 둘이 볼살이 한껏 올라가 방실방실 웃으며 몽땅한 손가락들로 건반 위를 깡충깡충 뛰어다니니 언니는 그저 우리가 피아노가 재밌어 찾아오는 줄 만 알았나 보다. 그렇게 우리는 똥강아지 마냥 이 집 저 집 구경하며 얻어먹고 다니는 재미로 하루를 채워갔다.

익숙한 골목길을 지나 금세 할머니 집에 도착했다. 유진과 매일 저녁 헤어지던 연녹색 철제 대문 뒤편에는 여전히 대추나무 두 그루가 있었다. 그중 한 그루에서만 매번 문을 열 때마다 인사라도 하는지 대추 알이 하나씩 떨어져 유진과 나의 이마를 콩콩 두드리곤 했다. 옷소매를 당겨 주운 대추 알의 흙을 문질러 닦아내니 아직 여물지 않은 어린 초록빛이 꽤 단단해 보였다. 일전에 유진이 호기심으로 깨작 물어보았던 과육의 맛은 감나무 집 언니가 주던 새빨간 자두에 비하면 간식으로 먹을만한 것은 아니라고 했기에 주머니에 넣은 장난감처럼 반들반들한 표면을 굴리는 것에 그쳤다. 우리가 맨날 드나들던 감나무 집에도, 할머니 집에도 유진은 없었다. 유진은 어디로 갔을까. 이 꿈에서 다시 만날 수 있는 것일까. 전화를 해볼 수도 없어 답답한 노릇이다. 처마 밑에 걸터앉아 허공에 발을 굴렸다. 개나리색 운동화가 번갈아 까딱이며 햇살을 맞았다. 이 집에 연락을 주고받을 수 있는 매체는 마룻바닥 한쪽에 눌러앉은 집 전화기뿐이었는데, 제대로 연결해 주지는 못해 있으나 마나 한 것이 어릴 적 어딘가에 맡겨져야만 했던 나를 닮았다. 유일하게 외우고 간 엄마 번호로 가끔 일부러 자기 전에 전화를 걸어 엄마의 걱정스러운 말을 듣곤 하였는데, 그마저도 매번 치지직 거리며 말을 자꾸만 끼어들어 성질만 돋우고는 제멋대로 끊겨버리는 것이 다반사였다. 유진을 만난 후로는 날마다 하도 쏘다니며 놀다 곯아떨어지기 바빠 군이 홀로 돈벌이에 바쁜 엄마에게 귀찮은 전화를 한 적은 없었다. 생각해 보면 유진과는 전화를 주고받은 적이 없었다. 행동이며 생각 모두 맞추지 않아도 똑같았던 우리는 방학이 되면 매일 같이 만났기에 굳이 그럴 필요를 못 느껴서 그랬나 보다. 유진과 연락을 주고받은 적은 없지만, 글을 제법 길게 쓸 수 있게 되었을 나이에 우리는 매일 함께한 하루를 일기에 남겼다. 그렇다. 우리에게는 전화 대신 비밀 일기장이 있었다.

12살쯤이었나, 한창 어른들을 관찰하며 흉내 내는 것에 재미 들였을 적이었다. 우리는 그동안 방학마다 동네를 돌아다니다 어른들에게 종종 얻은 크고 작은 동전을 먹여 묵직하게 키워온 플라스틱 돼지의 배를 갈랐다. 등 한가운데 튀어나온 얇은 입구 틈으로 가득한 은색 주화들이 보였다. 신발장 맨 밑 서랍에 있던 커터 칼을 찾아내어 겨우 작은 칼집을 낸 고사리손으로 마구 흔들자, 동전이 하나둘 빠져나왔다. 전날 골목길 어딘가에서 주워 온 어른 손바닥만 한 사탕 통에 동전을 채워서 담아 원피스 앞주머니에 넣었다. 거울을 보니 돼지가 된 것처럼 배가 불룩했다. 내가 문지방을 넘으며 찰그락 찰그락 소리를 내자 유진은 하얀 야구모자를 푹 눌러쓰고는 검지를 입에 대었다. 괜히 옆방 할아버지를 깨워 좋을 게 없으니 조용히 나갔다 오자는 것이었다. 그때 마주한 나와 유진의 눈빛은 어느 때보다 반짝여 광을 내어 닦은 대추 알 같았다. 야광 별 스티커, 분홍색 미미 인형 드레스, 군청색의 두터운 공책. 오천 원 남짓의 돈을 자랑스럽게 문구점 아주머니에게 드리고 거스름돈으로는 슈퍼에서 색색의 아이스바를 사서 나눠 먹었다. 아주 만족스러운 첫 쇼핑이었다.

해가 질 무렵, 바닷가로 내려가는 돌계단에 걸터앉아 방학 내내 늦더위에 익은 서로의 팔을 보며 키득거리다 공책에 그날의 일들을 빼곡하게 적었다. 우리만의 비밀 일기장을 만든 셈이다. 우리는 방학 동안 매일 헤어지기 전에 같이 일기를 적었고 다음 날 만나서 놀 계획까지 거창하게 세우고 돌아갔었다. 방학이 끝나면 그 비밀 일기장은 할머니가 창고로 방치하던 다락방에 몰래 숨겨두었다. 분명 이 집 어딘가에도 있을 것이다. 나는 서둘러 신을 벗고 마룻바닥을 지나 부엌 옆 다락방 문을 벌컥 열었다. 밟을 때마다 끼익 소리를 내어 숨죽여 오르던 나무 계단을 성큼성큼 올라갔다. 예상대로 다락 창가에 놓인 일기장이 보였다. 그동안 누구도 들여다봐 주지 않았는지 표지 겉면에 회색의 먼지가 날리는 것이 햇빛에 잡혔다. 한 장 한 장 넘기며 읽다 보니 바쁜 일상에 이곳저곳 잘려 나갔던 유진에 대한 기억이 마저 채워지는 것 같았다. 어릴 적 낯선 마을을 떠도는 나에게 유진은 기꺼이 나의 애착 대상이 되어주었고, 존재만으로 안식을 주었다. 내가 무슨 말을 하여도 싱긋 미소 지어 보이는 것이 전부였지만 엄마나 할머니 집에서 얻지 못한 온기를 원 없이 채울 수 있었다. 어린 시절 나에게 있어서 유진은 더없이 소중한 영혼의 단짝이었다. 그러나 똑같은 글씨체로 이어지던 우리의 비밀 일기는 16살 겨울 방학을 끝으로 이어지지 못했고, 반 정도 남은 일기장은 유진에 대한 그리움으로 가득한 나의 길고 짧은 조각 글로 빼곡히 채워졌다.

온 동네가 새하얗게 덮여 고요하던 16살 겨울, 엄마 집으로 떠나기 전날에도 유진과 함께 하루를 보냈다. 우리는 그것이 정말 마지막이라는 것을 예상하지도 못하고, 어둑해지는 하늘에도 눈 뭉치를 몰고 다니기 바빴다. 붉어진 볼에 불어오는 거센 눈발을 신나게 맞으며 하얕게 뒤덮인 동네를 굴러다녔다. 할머니 집에 다다르자, 대뜸 유진이 대문 앞 화단에 꽃을 심어 두었다며 머리를 긁적였다. 내년 여름 내가 돌아올 때쯤이면 활짝 피어있을 것이라며 답지 않게 수줍은 미소를 지어 보이고는 끝까지 비밀이라며 무슨 꽃인지 가르쳐 주지 않았다. 새하얀 눈으로 두껍게 덮인 화단에 무얼 심었을지 궁금하였지만, 어차피 돌아오면 예쁘게 맞아주리라 생각한 나는 더 묻지 않았다. 유진과 헤어진 후, 열리는 철문 소리에 집 나간 청개구리가 이제야 기어들어 온다며 할머니가 버선발로 달려와 눈발에 잔뜩 버무려진 등짝이며 궁둥이를 팡팡 두드렸다. 주름진 뭉뚝한 손바닥이 둔탁한 소리로 아프지 않게 털어내 주는 모질지 못한 손길이, 못생겼다며 발갛게 얼어버린 볼을 어루만져 주는 따끈한 온기가 괜히 간지러워 축축한 코만 쓱쓱 비벼댔다. 무얼 하다가 손에 흙이 잔뜩 묻어왔냐는 할머니의 물음에도 유진이 꽃을 심어준 것은 비밀로 하였다.

제 앞가림 정도는 알아서 할 수 있는 나이라며 엄마가 나를 더 이상 대천에 맡기지 않겠다고 공표한 17살의 초여름, 드디어 엄마와 같이 지낼 수 있음에 좋아해야 하면서도 머릿속은 유진 생각뿐이었다. 몇 주의 고민 후 나는 유진에게 작별 인사라도 해야겠다는 생각에 토요일 오전 하교 후 무작정 터미널로 향했다. 고등학생이 되자마자 받은 휴대전화 전원도 꺼버린 채, 모아 둔 용돈으로 표를 끊어 대천으로 가는 고속버스를 탔다. 처음 해보는 나름의 일탈이었다. 원래보다 한 달 일찍 돌아온 나를 보고 깜짝 놀랄 유진의 모습을 상상하며 흥얼거렸다. 다행히 해가 지기 전 도착한 할머니 집 앞 화단에는 노랗게 피어난 들꽃이 가득했다. 다시 휴대전화 전원을 켜 사진을 찍어 둔 나는 빠르게 언덕을 올라가며 유진을 찾아다녔다. 동네 한 바퀴를 다 돌고 나니 늦여름 장맛비가 우수수 떨어지기 시작했다. 그러나 애석하게도 비를 피할 우산도 유진도 찾을 수 없었다. 해가 다 지고 난 뒤에도 이미 다 가본 곳을 여러 번 둘러보았지만, 점차 거세지는 빗줄기에 유진의 집이 어디였는지 기억도 나지 않아 불안했다. 터벅터벅 다시 컴컴해진 골목길을 내려가는데 저 멀리서 할아버지가 굽은 등으로 달려오는 것이 보였다. 혼이 나겠구나. 겁을 먹은 나에게 뒤늦게 따라 달려온 엄마가 매번 혼을 낼 때마다 쳐내던 따귀 대신 힘껏 끌어안아 당기는 바람에 참았던 울음이 터져 나왔다. 엄마는 아무것도 묻지 않았지만, 그 뒤로 대천에 혼자 내려가거나 전화를 꺼두는 일은 없었다. 이후 학업에 집중하라며 학원에 맡겨진 덕분에 괜찮은 대학과 남부럽지 않은 직장을 다닐 수 있었지만, 빠르게 스쳐 가는 일상 어디에서도 사라진 유진은 찾을 수가 없었다. 메마른 모래사장에 주저앉아 공허한 맨발을 굴릴 뿐이었다. 그나마 매일 찾아간 빈 교실의 꿈이 나에게 숨 쉴 공간을 마련해 주었다. 그 혼자 남은 교실에서 그동안 내가 기다리던 것은 엄마도, 얼굴 하나 기억나지 않는 아빠도 아닌 유진이었나 보다.

넘기다 보니 어느새 일기장의 마지막 장이 잡혔다. 내가 유진에게 남긴, 닿을 수 없었던 편지 한 장이었다.

8월 26일, 유진에게.


네가 화단에 심어 두고 떠난 그 꽃은 금계국이더라.

이름도 종도 끝내 밝히지 않아

기다림 끝에 직접 찾아본 사전 안의 모습은

엊그제 본 그 꽃보다는 빛나지 않더라.

해지기 전 겨우 멈춘 비로 습기 가득한 하늘 아래에서도

네가 심어준 금계국은 빛이 났다.

햇볕이 내리쬐던 지난날 익어버린 잎끝의 흩날림이

그럼에도 노오란 머리를 오밀조밀 밀어내며 말을 거는 그 모습이

너를 다시 마주하는 것 같았다.


눈앞을 불어오는 바람이 눅눅해서인지 속눈썹 끝에 이슬이 맺혔다.

처마 밑에 앉아 쉼 없이 떨어지던

빗물 방울을 손끝으로 맞으며 웃어대던

너와의 시간이 불어왔다.

여름이 떠난 지 얼마 되지도 않았는데

금세 서늘해진 바람에

이미 지나가 버린 더위를 붙잡고 싶었다.

맺힌 이슬이 볼을 타고 떨어질 때마다

눅눅한 바람에 곱슬곱슬한 머리끝이 턱 끝을 간지럽힐 때마다

네 손이 뒤따라와

내 시린 볼을 한 아름 끌어안아

입김을 불어줄 것만 같았다.

괜히 입안이 먹먹해지는 것이 마음에 들지 않아

숨을 한껏 마시다 뱉어내었다.

입안에 굴러다니던 박하사탕 때문에 코끝에 시원한 향이 맴돌았다.


가장 긴 늦여름을 다 보내고 나면,

우리 집 앞 금계국이 잠시 잠이 드는 계절이 찾아올 즈음에

스치는 바람이라도 좋으니 네 한마디 보내주었으면.

하얗게 뒤덮여 보이지 않더라도

어쩌다 한 번 생각이 나면,

아주 잠깐이라도 좋으니 내 방 창문 두드려 주라.


일기장을 덮고 다락방 창문을 열어 축축해진 속눈썹을 말릴 바람이 부는지 확인했다. 솔향이 섞인 바람이 닿아 부은 눈가가 시원했다. 꿈 밖에서의 아침, 유진이 두고 간 안부는 나의 오랜 바람이 이루어진 것일까. 보내지 못한 편지에도 늦게나마 유진이 전한 담담한 인사는 예전처럼 나를 찾으러 온다는 말이었을까. 여전히 나와 같을까. 유진을 처음 만난 것도 열기로 가득한 무더위가 막 지나간 딱 이 정도의 선선한 바람이 불던 8월의 마지막쯤이었다. 창밖 너머로 유진과 자주 오르던 언덕길 끝에 엄지손톱만큼 작아진 느티나무가 보였다. 그래, 아직 가보지 않은 곳이 있었다. 유진이 가장 좋아하던 곳, 바다를 한눈에 내

려다볼 수 있었던 느티나무 언덕. 어쩌면 그곳에서는 다시 유진을 만날 수 있지 않을까. 유진을 만나 해야 할 말이 많았다. 일기장을 한 손에 쥐고 다락방을 다급히 내려와 운동화에 발을 대충 욱여넣었다. 대문을 뛰쳐나와 언덕길로 향했다. 태양으로 가는 길. 유진을 만나러 아침 눈 뜨자마자 나서던 그 길이었다. 여전히 눈이 부시게 밝은 햇빛이어서 올라오라며 손짓하는 따스함을 내려주었다. 엄마랑 같이 살던 집으로 가는 길에는 그렇게 따갑고 모질기만 한 태양이었는데. 저 언덕 끝에는 유진이 있었으면. 차오르는 숨에 들뜨는 마음이 자꾸만 먼저 내보내 달라는 듯 쿵쿵 작은 흉곽을 두드렸다. 노오란 금계국꽃들 사이로 든든하게 자리를 지키고 있는 느티나무가 녹색의 긴 머리를 풀어 흩날리고 있었다. 꽃들을 밟지 않으려 까치발을 들어 총총 다가갔다. 언제나처럼 이 듬직한 나무 기둥 넘어 태양 빛이 가장 밝은 곳에 있을 너였다.

"안녕, 오랜만이야. 나를 결국 찾아내었구나."

나무 앞 바위에 걸터앉아 나와 같은 개나리색 운동화를 신은 발을 번갈아 까딱이며 싱긋 웃어 보이는 유진이었다. 가쁘게 몰아 내쉬던 숨에도 덩달아 웃음이 났다. 유진에게 손 인사를 힘차게 건네며 다가가려는 그때, 유진이 다시 입을 열었다.

"난 이제는 네가 억지로 나를 찾지 않았으면 좋겠어."

나는 단호하게 전해진 유진의 말에 멈추어 설 수밖에 없었다. 여유로운 미소로 전하는 소망이 따스한 목소리와 다르게 보이지 않는 단단한 벽을 세워두는 것만 같았다. 내가 어떠한 반응도 내비치지 못하자 유진도 흔들던 발재간을 그만두고 내려와 내 앞에 가까이 마주 섰다. 같은 높이로 마주하는 검고 동그란 눈동자에 어렴풋이 유진인지 나인지 모를 얼굴이 비쳤다. 어린 나는 저렇게 붉은 볼을 띠었던가. 아까보다 잠잠해진 숨에도 심장 울림은 곧 넘쳐 나올 듯 눈앞의 유진을 향했다.

"이제는 알아야 해, 윤주야. 네가 다시 거센 파도에 뛰어들더라도, 난 더 이상 예전처럼 나타나 널 잡아줄 수 없어."

눈을 놓치지 않고 말을 이어가던 유진의 왼손이 나의 오른쪽 뺨을 감싸더니 엄지로 몇 번 문질러 닦아내었다. 나의 오른손은 뒤따라 유진의 손등을 덮었다. 어릴 적 그대로의 온기가 스며들었다.

"너로부터 눈을 뜨고, 너와 함께한 모든 날이 행복했어. 하지만 네가 나만을 계속 찾는다면, 너는 결국 오래전 그 바다에 다시 빠지고 말 거야. 너에게서 태어난 난 언제나 네 안에 있어. 그러니 나를 찾으려 애쓰지 말아."

그제야 유진의 눈 속 나의 모습이 오롯이 보였다. 검고 동그란 눈동자, 붉은 볼에 새겨진 보조개 한 쌍, 개나리색 운동화. 내가 아닌 나의 모습은 유진이었다. 그러한 나를 알아채자 비로소 유진은 맑게 웃어 보였다. 유진을 처음 만난 어린 날, 세차게 밀려오는 파도에 휩쓸려갈 작정으로 바다 가까이 발을 던지려는 나를 불러 세운 그날의 유진도 이렇게 맑은 웃음을 보였다.

아, 너는 나였구나.

너무나도 늦은 깨달음에 미처 대답할 새도 없이, 순간 하늘을 보며 풀썩 쓰러지고 만 유진은 드넓은 금계국꽃들 사이에 파묻혀 금세 사라지고 없었다. 노오란 꽃잎들만 흩날리며 주변을 맴돌 뿐이었다. 바람에 멀리 날아가던 꽃잎 하나가 되돌아와 물기 어린 볼에 살며시 닿았다. 왼손 검지 끝에 촉촉이 젖은 표면이 느껴져 굳이 떼어내지 않았다. 나도 따라 꽃들 위에 몸을 펼쳐 누웠다. 구름이 다 지나간 파아란 하늘이 손에 닿을 듯이 가까웠다. 햇볕을 머금은 금계국 꽃잎이 귓가와 목덜미를 간지럽히는 것을 보니, 아직은 태양과 오래 함께할 수 있는 늦여름인가 보다. 혹시라도 눈을 길게 깜빡이면 꿈이 끝나버릴 것 같았다. 나는 꽃들 너머로 내려다보이는 바다를 등지고 유진과 함께 다니던 마을 길로 다시 나아가기 시작했다. 이제 어디로 갈지는 당연했다. 뒤돌아보지 않아도 좋을 한낮의 꿈이었다.

아이의 울음에 깨어난 윤주는 재빨리 안아 들며 휴대전화 화면을 몇 번 두드려 시간을 확인했다. 12시 17분. 문자 1건. 부재중 통화 2통. 윤주는 볼을 타고 흐르다 떨어지는 물방울을 거둘 틈도 없이 서둘러 아이의 기저귀를 확인하며 욕실로 향했다. 수유까지 마치고 나서야 윤주의 품에서 다시 규칙적인 숨소리를 보이며 살포시 감긴 아이의 눈가를 내려다보았다. 가슴팍에 닿는 아이의 옅은 숨결이 한바탕 어질러진 집안에 잔잔하게 퍼지는 것을 바라만 보던 윤주는 그 작은 새근거림을 조심스럽게 쓸어내려 주었다. 아까 꾸었던 꿈이 여태껏 생생하여 기대앉은 소파마저 이질감이 느껴지다가도 내려다본 아이의 발그레한 볼이 자신의 어릴 적을 꼭 닮은 것에 이제야 꿈에서 깨어난 것을 실감하는 윤주였다. 아까 확인하지 못한 부재중 연락이 떠오른 윤주는 한 손으로 거실 바닥 매트에 떨어진 휴대전화를 집어와 문자를 확인하였다. 약사 선생님의 문자였다.

*무영이 엄마, 무영이 보느라 바쁘죠? 머리는 좀 어때? 어제 가져간 화분 물 줘야 하는데, 윤주 씨가 피곤해 보여서 말해주는 걸 깜빡했나 봐. 약 먹기 전에 끼니 조금이라도 챙겨 먹고요. 지수네가 준 엽서 맘에 들지 모르겠네? 몇 장 더 받았는데, 필요하면 들를 게요.*

'금계국도, 유진도 내게 주는 선물이구나. 나의 곁에 아직 나를 들여다봐 주는 사람들이 남아있구나.' 윤주는 잠든 아이를 침대에 눕혀 두고 나와 장롱 서랍 깊숙이 두툼하게 쌓인 겨울 옷가지들 밑에서 낡은 일기장을 찾았다. 꿈에서 본 일기장보다 무척 낡고 바랜 겉표지를 손바닥으로 쓸어 가느다란 털실 몇 가닥을 걷어내었다. 합지로 된 표지 끄트머리가 뭉뚝하게 눌려 주름지고 갈라진 것에 함께 거쳐온 짧지 않은 시간이 보였다. 금계국 화분에서 가져온 엽서 뒷면에 글을 꾹꾹 눌러써 내려갔다. 비밀일기장의 마지막 편지가 될 조각 글일 것이다.

9월 11일, 나에게


이불 더미 안에 구겨진 내 잠옷처럼
내 감정은 그저 덮어두고 잊어버리는 것이었다.
나는 그렇게 묻혔다.


나를 잊어버렸던 나는
틈만 보이면 파도치는 우울함에 휩쓸리곤 했다.
어설프게 덮어 모른 척 지낸 그 감정의 시간은
어쩌다 스치는 바람에 금세 드러나 버렸고
모래처럼 메마르게 지내면서도
괜찮다 자만하던 나를 보잘것없게 만들었다.
바다에 빠진 것처럼 축 늘어져 하찮기 그지없었다.
그렇게 겨우 기어 나와 아무 일 없었다는 듯
물기를 말리며 또다시 자만하기를 반복하였다.


나를 잊어버렸던 나에게
나의 소중한 인연들은 금계국을 선물했다.
어릴 적에는 알아보지 못했지만
그동안 나의 인연들은 나에게
충분한 사랑을 주고, 온기를 불어주었다.
캄캄한 집에 돌아와 혼자일 때

또다시 우울의 바다에 빠질 때

겨우 헤엄쳐 나올 수 있었던 것은

미처 알아채지 못했던 그들의 무결한 사랑 덕분이었다.


마른 숨의 공간에서 잊고 지낸 긴 시간 동안

홀로 피어나고 시드는 것을 반복하며

나의 곁을 지켜봐 준 그 금계국꽃을

나의 품에서도 곧 피어날 그 무결한 사랑을

자신을 잊어버린 다른 누군가에게

잊지 않고 소중히 키워 한 아름 선물할게.

이 꽃은 지고 눈앞에 잠시 잊히더라도

언 땅에서 잠시 자고 일어날 때쯤

우리의 계절이 다시 찾아오면 피어날 테야.

우리를 향해 예쁘게 피어 있을 내일은 다시 돌아올 테야.


언젠가 다시 그 파도에 휩쓸려 빠지더라도

물결에 떠다니는 노오란 꽃잎들과 유유히 헤엄치다가

둥둥 떠서 하늘을 바라보다가

그러다 어느 순간 툭 바다의 끝에 닿으면, 천천히 짚고 일어날게.

오래 걸리더라도, 다시 헤엄쳐 나올게.

# 가정, 가정

유가실

유가실　　　혼자만의 시간은 필요하지만 혼자만 있고 싶지는 않은 3년차 직장인.
군중 속에 녹아들어 무난하게 살아가는 게 최고라는 생각에 '대중성이
곧 내 취향'이라 여기다가, 20대 중반이 되어서야 취향 찾기를 시작
했다. 덕분에 늘 알아가고 싶은 것도 많고 생각할 것도 많아 항상 시끄
러운 머릿속의 소유자. 끝없이 이어지는 생각들을 글로 풀어내서 겨우
진정시키며 살아가는 중이다.

인스타그램: @gaaaaaasil

"이러다 진짜 전쟁 터지면 어떡해?"

언니는 뭐 그런 걸 묻느냐며 황당해했다. 어렸을 적부터 나와 다르게 '만약에'라는 말을 싫어하던 언니에게서 기대할 수 있는 당연한 반응이었다.

"그렇잖아. 나는 혼자 서울 사는데. 그럼 그대로 엄마 아빠랑 생이별이야?"

"엄마는 집에 꼭 붙어서 너네 기다리고 있을 테니까, 어떻게든 엄마 찾아와 봐."

"그게 뭐야. 너무 무책임한 거 아냐?"

그래도 엄만데. 어떻게든 딸내미 찾아오겠다고 해주면 덧나. 뒷말은 애써 삼킨 채 입만 비죽였다.

"너네 집에서 여기까지 차로 한 시간 좀 안 걸리니까, 반나절 정도면 걸어오겠네."

엄마는 테이블 위 접시에 사과를 한가득 깎아내며 무심하게 말했다. 엄마가 사과를 접시에 내려놓기가 무섭게 언니와 나는 번갈아 가며 콕콕. 포크로 찍어 입에 집어넣기 바빴다. 사과를 우물대기도 잠시, 엄마의 말에 문득 내가 사는 집에서 우리 집까지 걸어오는 데에 걸리는 시간이 궁금해졌다. 핸드폰을 꺼내 지도 어플을 켰다. 도보 7시간 46분. 반나절은 걸리지 않는 시간이지만, 나는 기계가 아니라 인간이니까 중간에 쉴 시간도 필요하겠지. 엄마 말대로 넉넉잡아 반나절이 걸릴 거리였다.

어플을 검색하는 동안 열심히 씹어댔던 사과는 어느새 즙이 되어 내 목구멍으로 넘어가 버렸다.

"나는 연준이 업고 근처 지하철역으로라도 뛰어갈 것 같은데."

여전히 연준이에게서 시선을 떼지 못한 언니가 무심하게 말했다.

"지하철역 보면 입구에 대피소라고 쓰여있잖아. 그거 전쟁 나면 거기로 대피하라는 뜻일걸."

엄마는 언니의 말에 고개를 끄덕이며 동의했다. 언니의 무릎에 앉아있는 연준이는 언니가 먹는 사과를 향해 손을 뻗으려 버둥거렸다. 한쪽 손에는 이미 사과가 들려있다는 걸 잊은 눈치였다. 사과를 쥔 손에는 저도 모르게 힘이 들어간 건지 국물이 줄줄 손목과 팔을 타고 흐르고 있었다. 언니는 대수롭지 않다는 듯 물티슈를 벅벅 뽑아내서는 연준이의 팔을 닦아주었다.

엄마는 제일 큰 사과 조각을 하나 골라 포크로 찍더니 거실 소파에 누워 티비를 보고 있는 아빠에게 가져다주었다. 나는 그런 엄마 뒤를 졸졸 쫓아가, 아빠 옆에 자리를 잡고 앉았다.

"아빠, 아빠는 전쟁 일어나면 어디로 도망갈 거야?"

아빠는 나의 뜬금없는 질문에도 미간을 찌푸려가며 고민하기 시작했다. 하지만 그 고민이 무색하게도, 내놓은 대답은 허무하기 그지없었다.

"글쎄…. 그냥 집에 있을 것 같은데."

"집 밖에 있을 수도 있잖아."

이제 아빠는 눈까지 감고 고민하기 시작했다.

"내가 집 밖이라고 해봤자 회사 말고는 갈 데도 없는데."

"그래, 그럼 회사. 회사에 있을 때는 어떡할 건데?"

"어떡하긴. 집 와서 너네 엄마 지켜줘야지."

"얼씨구. 말은 잘 해요."

어느새 부엌 식탁으로 돌아가 앉아 다시 사과를 깎기 시작한 엄마는 아빠의 대답을 듣고는 코웃음을 쳤다.

"지은이 너는. 넌 어떻게 하고 싶은데?"

아빠는 그런 엄마의 반응은 신경을 쓰지도 않으며 내게 곧장 물어왔다. 쉽사리 대답하지 못하고 고민에 빠진 나를 보고는 나름 현실적인 대안을 내놓기까지 했다.

"차라리 회사에서 회사 사람들이랑 있는 게 더 안전할 수도 있겠다."

"아빠는 집으로 올 거라며."

"그야, 집에 엄마가 있으니까. 그리고 아빠가 어딜 가겠냐."

그럼 나는? 나도 우리 집 가족인데.

"게다가 아빠는 회사가 집이랑 가깝잖아. 네가 다니는 회사는 여기서 너무 멀고."

스물다섯 살이 되어 다니기 시작한 내 첫 직장은 집에서 대중교통으로 1시간 40분이 걸리는 강남에 있었다. 그렇게 꼬박 1년간 통근을 하던 나는, 어느 날 밤 퇴근하고 집에 돌아와 거실에 대자로 뻗어버렸다.

"나 통근 못 해! 자취할 거야!"

술은 한 모금도 마시지 않으면서 바닥에 드러누워 주정을 부리기 시작했다.

그날은 버스의 좌석이 꽉 차서 어쩔 수 없이 서서 와야 하는 날이었고, 하필 내 옆에는 술에 잔뜩 취한 여대생이 서 있었다. 비틀거리다 못해 흐물거리는 그 여자를 나는 온몸으로 떠받들며 와야만 했다.

"나 자취 안 시켜주면, 당장 회사 때려치우고 이 집에 붙어서 평생 백수로 살 거야!"

엄마는 그런 나를 보고 기겁했다. 뻗어있는 나를 일으켜주겠다는 생각은 하기도 싫다는 듯 혀를 차더니, '그러든가 말든가 네 마음대로 하라'는 말만 남긴 채 안방으로 들어가 버렸다. 엄마의 허락을 받아낸 뒤로 모든 일은 일사천리로 진행되었다. 마치 모든 것들이 내가 거실에 드러누워 통근 포기 의사를 밝히기만을 기다리고 있었다는 듯이 말이다.

내가 거실 바닥 농성을 벌인지 정확히 한 달 만에 나는 세대주가 되었다.

엄마는 집에서 가족들을, 엄밀히 말하자면 아빠를 기다릴 것이고, 아빠는 그런 엄마가 있는 집으로 돌아올 것이다. 그리고 언니는 하나뿐인 아들을 지키기 위해 가장 안전한 곳으로 대피할 것이다.

'그럼 나는 누구를 위해, 어디로 가야 하지?'

일 년 전 내가 드러누워 농성을 벌였던 바로 그 거실 바닥의 무늬만 째려보며 고민하고 있던 내 앞으로 갑자기 빈 포크가 불쑥 내밀어졌다. 내가 가져온 사과를 어느새 다 먹은 아빠가 내 앞으로 포크를 들이밀고 있었다.

"아빠 사과 한 조각만 더 갖다 줘. 역시 엄마가 깎은 사과가 제일 맛있네."

아빠의 말이 끝나기도 전에 엄마가 사과가 가득 담긴 접시를 아빠에게 건네주었다. 소파에 반쯤 눕듯이 앉아있는 아빠에게 제대로 앉아서 먹으라는 타박도 잊지 않았다. 그때, 인터폰이 울렸다. 형부였다.

"어머, 오빠 왔나 보네. 벌써 시간이 이렇게 됐어?"

언니는 자리에서 벌떡 일어나며 연준이가 꼭 쥐고 있는 손을 펼쳤다. 연준이의 손에서 어느새 갈색이 된 사과 조각이 툭 떨어졌다. 허무하게 사과를 빼앗긴 연준이는 텅 비어버린 제 손을 확인하고는 울음을 터트렸다.

"아이고, 우리 연준이 왜 울어?"

현관에서 신발을 벗으며 집으로 들어오던 형부가 물었다. 한쪽 손에는 장인어른과 장모님께 드릴 거라며 가져온 딸기 바구니가 들려있었다. 꼭 쥔 손 모양이 방금까지 사과 조각을 쥐고 있던 연준이의 손 모양과 같았다. 주방 한쪽 구석에 딸기 바구니를 내려놓은 형부는 능숙하게 싱크대에서 손을 씻더니, 곧장 연준이가 울고 있는 화장실로 향했다. 홀로 고군분투 중인 언니를 도와 온몸이 사과 국물로 범벅이 된 연준이를 닦였다.

"내가 마저 닦을 테니까, 자기는 가서 짐 챙겨."

그 말에 언니는 곧장 화장실을 나오더니, 바리바리 챙겨왔던 물건들을 가방에 넣기 시작했다. 엄마는 언니를 졸졸 쫓아다니며 이것저것 묻기 시작했다.

"오늘은 저녁 안 먹구 그냥 가? 너 좋아하는 전복죽 끓여놨는데."

"가는 길에 장도 좀 보고, 가서 우리 집 청소도 하려고. 주말에 오빠랑 장 보러 가야 무거운 것도 사지. 평일에는 혼자 마트 가기 힘들어."

언니는 운전면허가 있어도, 연준이가 있으니 혼자 운전하기도 힘들다며 투덜거렸다. 엄마는 그러면 전복죽을 싸줄 테니 집에 가져가서 먹으라는 말을 남기고는 다시 주방으로 향했다. 바쁘게 움직이는 언니와 엄마를 뒤로하고, 어느덧 울음소리가 잦아든 연준이와 형부가 있는 화장실로 고개를 빼꼼 내밀었다. 연준이는 이제 방긋방긋 웃으며 형부의 얼굴을 제 손바닥으로 마구 문지르고 있었다.

"형부는 전쟁 일어나면 어떻게 할 거예요?"

형부는 얼굴이 연준이의 손에 밀려 코가 삐뚤어지고 볼살은 눌려 잔뜩 일그러져 있는 와중에도 눈만큼은 동그랗게 뜬 채 나를 보고 있었다. 먼저 말을 거는 법이 없던 내가 갑자기 말을 건 것만으로도 당황스러운데, 그 말이 터무니없는 질문이니 더 당황한 기색이었다. 무슨 말을 해야 할지 몰라 입만 벙긋거리기도 잠시.

"지희랑 연준이 데리고 어디 안전한 데로 대피해야지."

부부는 일심동체라더니 언니와 비슷한 대답을 내놓았다. 게다가 우리 언니까지 챙긴다니. 언니는 아까 형부 챙기겠다는 말은 안 했었는데.

"아휴, 야. 화장실 문 앞에서 뭐해. 막고 있지 말고 저리 나와 봐."

벌써 짐을 다 챙긴 언니는 연준이도 외투를 입혀야 한다며 형부에게서 연준이를 데려갔다. 그 와중에도 나의 쓸데없는 질문을 타박하는 것은 잊지 않았다. 형부는 언니의 타박이 자신을 향한 것도 아닌데 괜히 민망해하며 화장실을 나왔다. 그러더니 '그 질문, 지희한테도 했어?'라고 물어왔다. 나는 언니의 대답을 솔직하게 말해줬다. 자신을 언급하지 않았다는 사실을 알았음에도 형부는 기분 나빠 하지 않았다. 오히려 빙긋 웃었다.

"아기 키우는 부모들이면 다 그렇게 말할 것 같은데."

이제는 내가 눈을 동그랗게 뜨고는 형부를 쳐다보며 입을 벙긋거렸다.

연준이의 옷을 다 입히고 이제는 제 옷까지 모두 챙겨입은 언니 곁으로 형부가 다가갔다. 형부는 괜히 연준이의 볼을 툭툭 치며 웃었다. 엄마는 전복죽이 한가득 담긴 반찬통을 쇼핑백에 넣어 형부 손에 쥐여 주었다. 형부는 '이런 것 매번 챙겨주시지 않아도 괜찮다'라고 연신 인사를 하면서도 꼭 쥐고 있던 손은 펼치지 않았다. 이제 저 손은 언니가 억지로 펼쳐서 놓게 해야지만 저 쇼핑백 손잡이를 놓으려나.

　짐을 다 챙긴 언니와 형부가 곧 우리 집을 떠날 분위기가 되자, 소파에 앉아있던 아빠도 언니와 형부를 배웅하기 위해 신발장 앞으로 향했다. 아빠가 다가오자 언니 품에 안겨있던 연준이가 아빠를 향해 손을 뻗으며 버둥거렸다. 아빠는 그런 연준이의 손을 향해 손가락을 내밀며 함박웃음을 지었다. 언니와 형부가 우리 집 현관문을 닫고 나가자마자 아빠는 아마도 연준이가 손아귀 힘이 엄청나다며, 이건 분명 나를 닮아서 그런 것이라고 너스레를 떨겠지.

　이 집 신발장 앞에 노년기의 부부와 젊은 부부, 그리고 엄마 품에 안긴 아기가 있었다.

　"너네 집이 그래도 신축 아파트여서, 외풍은 별로 안 심하더라. 난방 잘 하면서 겨울 지내야 해. 연준이도 있으니까."

　할머니는 어린 손자가 감기에 걸리기라도 할까 봐 걱정되는지 딸에게 난방을 잘 하라며 당부의 말도 잊지 않았다. 딸도 그런 걱정은 할 필요 없다며 손사래를 쳤다. 사위도 딸의 반응에 맞춰서, 자신이 잘 챙길 테니 걱정은 말라며 두 노부부를 안심시켰다.


　한 달 전쯤이었나. 기온이 갑자기 뚝 떨어져, 목도리며 장갑을 꺼내 두른 날 중의 주말, 일요일이었다. 느즈막이 눈을 뜬 나는 오전 10시라는 핸드폰 화면을 확인하고는 만족스럽게 일어났다. 오랜만에 늦잠을 잤더니 평일 내내 쌓였던 피로가 모두 풀리는 느낌이었다. 기지개를 한 번 쭉 피고 아침도 점심도 아닌 애매한 시간의 식사를 시작했다.

어젯밤에 했던 주말 예능이 OTT 어플에 업로드되었는지 확인하였다. 독립해서 살기 시작한 뒤로 혼자 먹는 밥이 익숙해지긴 했지만, 영상이라도 틀어놓지 않으면 허전해서 식사 시간을 견딜 수가 없었다. 이건 분명 우리 집에서 밥을 먹을 때면 항상 티비를 틀어놓았던 습관 때문일 것이다. 출연진들이 화면을 가득 메우며 왁자지껄한 분위기를 만들었다. 그들이 쉼 없이 떠드는 탓에 나 혼자만 있는 원룸 방이 시끄러워졌다.

밥을 다 먹고 그릇을 치운 뒤, 설거지를 하기 위해 고무장갑을 꼈다. '물소리 때문에 영상 소리가 다 묻힐 텐데.' 생각하며 고무장갑을 벗고 이어폰을 연결했다. 손으로는 열심히 설거지를 하면서도 귀로는 예능을 열심히 들었다. 집에는 수돗물이 쏟아지는 소리와 그릇이 부딪치며 나는 달그락 소리만이 가득했다. 물이 뚝뚝 떨어지는 그릇들을 건조대에 정리한 뒤에 싱크대 주변으로 튄 물방울들을 행주로 닦아냈다. 설거지를 마쳤으면 물기를 잘 닦아줘야 물때가 지지 않는다는 엄마의 잔소리가 귓가에 울려 퍼졌다. 예, 예. 알겠습니다, 황 여사님. 잘 하고 있으니 걱정하지 마십시오. 나는 내 상상 속의 목소리에 대답하며 피식 웃었다.

밥을 먹었던 식탁에 다시 앉아 영상을 마저 보았다. 처음에는 분명 똑바른 자세로 앉아 화면을 보고 있었는데, 프로그램이 다 끝날 때쯤 되니 나는 거의 식탁에 엎드려 있었다. 지난주 방송분까지 다시 보기를 한 거여서, 이제 더 보고 싶은 것도 없는데 이제 뭐 하지? 늘어지게 하품을 하며 의자 등받이에 몸을 기댔다. 오랜만의 아무런 약속도 없는 일요일. 무슨 일을 해야 할지 모르겠다. 해야 할 일들이야 많았다. 2주 전 주말에 서점에 갔다가 산 소설책도 읽어야 하고, 한 달 전쯤부터 시작한 자격증 공부도 해야 한다. 평일 동안 미뤄놨던 화장실 청소와 쓰레기통 비우는 일도. 하지만 이 집에 혼자 있다 보면 무슨 일이든 할 의욕이 영 들지 않는다. 이렇게 할 일을 미뤄놓고 빈둥댈 때, 언니가 와서 잔소리를 해줘야 할 마음이 좀 들 텐데.

아무런 의욕도 들지 않는 몸을 애써 의자에서 일으키며 세수를 하고 집 밖으로 나왔다. 카페에 가서 책이라도 읽어야겠다는 생각을 한 것이었다. 하루종일 한 일이라고는 일어나서 밥을 먹은 것뿐인데 벌써 오후 3시였다. 시간이 언제 이렇게 지났는지 새삼스럽게 놀라며 집 근처 카페로 발걸음을 옮겼다.

문을 열자마자 카페 안의 인파가 느껴졌다. 하나둘씩 테이블에 앉은 사람들은 뭐 그리 할 말이 많은지, 맞은편에 앉은 사람들과 쉴 새 없이 떠들고 있었다. 방금 밥 먹을 때 봤던 예능이 떠올랐다. '이렇게 시끄러우면 책에 집중도 전혀 못 하겠네.' 아쉽지만 조용히 카페 문을 닫고 다시 길거리로 나왔다. 내가 좋아하는 디저트를 파는 카페로 발걸음을 돌렸다. 평일 저녁에 시간을 보내러 가끔 가는 곳인데, 주말에 가는 건 처음이었다.

"죄송해요, 손님. 지금은 안에 빈자리가 없어서 테이크 아웃만 가능하세요."

사장님은 눈썹을 휘어가며 안타까운 목소리로 내게 안내해주었다. 카페 문을 열고 한 발짝 정도 안으로 들어갔을 때 일어난 일이었다. 나는 결국 카페는 들어가 보지도 못하고 나왔다.

'어디로… 가야 하지?'

집이 답답해서 나온 거였는데, 막상 나오니 갈 곳이 없어졌다.


'쾅'

현관문이 닫혔다. 엄마와 아빠는 아쉬운 표정으로 뒤돌아 거실로 들어왔다.

"연준이가 참 의젓하네."

"그치? 나를 닮아서 과묵한가 봐."

과묵함과는 거리가 먼 아빠가 키득거리며 건넨 말에 엄마는 눈을 흘기며 웃었다. 그러다가 멀뚱히 서 있는 나를 보고 고개를 갸웃거렸다.

"네가 웬일로 언니 집 가는데 아무 말을 안 해? 매번 더 있다가 가라고 매달렸잖아."

나는 머리를 긁적이며 엄마의 질문에 대충 둘러대고 소파에 앉았다. 엄마는 별일이라며 중얼거리더니 곧장 주방으로 들어가서 사과 껍질이 수북하게 쌓인 쟁반을 치웠다. 시선은 쟁반에 고정한 채로 무심하게 물었다.

"지은이 너는 집 언제 가게?"

"어두워지기 전에 가. 그럼 아빠가 차로 데려다줄게."

내가 아무런 대답을 하지 않자 긍정의 의미로 받아들인 건지, 엄마와 아빠는 몇 시쯤 출발할 것인지를 놓고 논의를 시작했다. 요즘에는 해가 빨리 지니까 조금이라도 밝을 때 돌아오려면 지금 바로 출발해도 늦었다는 게 엄마의 주장이었다. 엄마는 더 늦어지기 전에 빨리 움직여야겠다며 수선을 떨기 시작했다.

"너도 전복죽 가져갈래? 근데 너는 죽 별로 안 좋아하잖아. 차라리 집 가져가서 구워 먹게 전복 손질만 해서 통째로 챙겨줄까? 이렇게 가져가면 가서 먹기는 하니? 이거 비싼 거라 버리면 안 돼. 아까워."

언니에게 죽을 챙겨줄 때만큼이나 분주한 손길로 엄마는 음식을 반찬 통에 넣기 시작했다. 이미 나의 의사와는 상관없이, 집에 가져가야 할 음식들이 늘어나고 있었다. 누가 보면 전쟁통에 피난이라도 떠나는 줄 알 것 같았다.

"엄마, 나 어디 멀리 영영 떠나는 거 아니야. 음식 그렇게 많이 안 싸줘도 돼."

"네 말대로 진짜 전쟁이라도 나면 어떡하니? 너 꼼짝없이 너네 집에서 몇 날 며칠을 버텨야 할 거 아니야. 그럼 음식을 이 정도는 놓고 있어야지."

전쟁이 나면 나는 역시 그 집에 있어야겠지. 내가 혼자 사는 그 집에.

엄마가 바리바리 싸기 시작한 음식들은 어느새 장바구니 하나를 가득 채울 정도로 쌓여 있었다. 빠진 것 없이 모두 챙긴 것 맞냐며 연신 묻는 엄마의 목소리를 뒤로 한 채, 나도 외투를 챙겨 입었다. 엄마가 챙겨준 장바구니를 꼭 쥐었다. 내 손 모양은 연준이와 달랐다. 꽉 쥔 이 손은 누가 펴줘야 할까.

집에 올 때 가져왔던 백팩을 등에 짊어지고, 장바구니를 손에 든 채 집 앞 주차장에 섰다. 엄마와 아빠는 금방 차를 빼올 테니, 잠시만 기다리라며 나를 주차장 입구에 세워둔 채 총총거리며 사라졌다.

이제는 기억도 잘 나지 않는 이사 첫날. 매트리스 배송일을 잘못 맞춘 나는 맨바닥에 얇은 이불만 깔고 잠들었다. 다음 날 아침, 뻐근한 허리를 부여잡고 일어난 나는 습관처럼 마실 물을 찾다가 문득 깨달았다. 이 집에는 마실 물도 없구나. 대충 세수를 하고 후드티를 눌러쓴 채 집 앞 편의점으로 향해서 급히 생수부터 사 왔다. 현관문을 열었을 때 내 시야에 들어온 집의 풍경은 삭막하기 그지없었다.

어젯밤부터 켜놓았던 보일러의 열기 덕에 분명 훈훈한데, 이상하리만치 집 안의 풍경은 차가웠다. 하얀색을 좋아한다는 이유로 책상과 서랍장을 다 흰색으로 고른 게 실수였던 걸까. 우리 집에서 가져온 노란색 체크무늬 이불만이 자신의 색으로 빛나고 있었다. 눌러썼던 후드 모자를 대충 벗으며 생수를 들이켰다. 바깥 온도만큼이나 차가운 물이 내 식도를 타고 몸으로 흘러 들어가는 것이 느껴졌다. 꿀꺽거리는 소리를 내며 물을 삼키는 소리가 집안을 가득 채웠다.

"왕!"

갈색의 곱슬거리는 털에 푹 파묻힌 푸들 한 마리가 갑자기 나를 향해 짖으며 달려들었다. 그 작은 몸에서 어찌나 큰 소리가 나오는지, 아파트 단지 안 가득 강아지 울음소리가 울려 퍼졌다. 멀리서부터 달려오던 강아지는 순식간에 내 앞에 도착하더니, 두 앞발로 내 정강이를 짚고 섰다. 동그란 검정 눈을 반짝이며 나를 올려다보는 것도 잊지 않았다. 나는 오른쪽 손에 들고 있던 장바구니를 왼손으로 옮겨 들고, 강아지를 들어 안았다. 생각보다 묵직한 무게에 잠시 휘청이다가 금방 균형을 잡고 섰다.

"너 갑자기 어디서 나타난 거야?"

하네스에 길게 이어진 줄이 바닥에 질질 끌렸다. 산책하다가 주인이 잠시 한눈을 판 사이에 뛰쳐나온 건지 갸웃거리며 주변을 둘러보던 중, 저 멀리서 울먹이는 목소리가 들려왔다.

"연두야! 어디 갔어, 연두야!"

절규에 가까운 여자의 목소리가 들리자마자, 품에 안겨있던 강아지가 아까보다도 더 큰 목소리로 우렁차게 짖더니 버둥거리기 시작했다. 깜짝 놀란 나는 허겁지겁 강아지를 바닥에 내려놓았다. 잘못했다가는 강아지를 그대로 바닥에 떨어뜨릴 것만 같았다.

"여, 연두야!"

갈색 강아지를 발견하자마자 여자는 나와 강아지를 향해 달려왔다. 달릴 때마다 여자의 머리카락이 위아래로 팔랑이는 모습을 보니, 방금 내게 달려든 강아지의 귀가 팔랑이던 모습이 떠올랐다. 강아지와 여자의 모습이 겹쳐 보였다. 순식간에 나와 강아지의 바로 앞까지 온 여자는 코끝이 빨개진 채로 눈물을 눈에 한가득 머금고 있었다. 강아지는 그런 여자의 품에 한달음에 달려가 안겼다. 여자는 외투 소매로 눈가를 벅벅 닦더니, 자그마한 강아지의 몸에 제 얼굴을 푹 묻어버렸다. 울먹이다 못해 애절한 목소리로 여자가 중얼거렸다.

"연두 너 혼자 그렇게 가버리면 어떡해!"

여자는 '킁!' 하는 소리가 나게 콧물을 한 차례 들이키더니, 나를 향해 고개를 들었다.

"저… 우리 연두 잡아주셔서 감사해요. 아니었으면 더 멀리까지 가버려서 못 찾을 뻔했어요."

여자는 강아지를 다시 조심스럽게 바닥에 내려놓으며 하네스에 연결된 줄 끝에 달린 손잡이를 꼭 붙잡았다. '연두'라는 강아지는 여기까지 꽤 먼 거리를 뛰어온 건지, 혓바닥을 길게 내밀며 헥헥거렸다. 그런 모습을 본 여자는 가방에서 물병을 꺼내더니 만두 앞에 쪼그려 앉아서 물을 주었다. 내가 빤히 쳐다보고 있는 것을 인식한 건지, 여자는 멋쩍게 웃으며 말했다.

"우리 집 막내가 좀 호기심이 많아서 산책 나오면 신경 써서 데리고 다니는데, 물 사러 편의점 잠깐 들어간 사이에 이렇게 달려가 버렸네요. 금방 찾아서 다행이지만."

"막내…라고 하시나 봐요."

강아지를 '막내'라고 표현하는 여자의 말이 신기해 나도 모르게 중얼거렸다. 여자는 내 말을 듣고는 눈이 동그래져서 나를 쳐다보기도 잠시, 강아지를 안아서 들어 올리더니 싱긋 웃었다.

"제 유일한 형제거든요. 입양한 지 이제 겨우 3년 정도 됐지만, 저한테는 너무너무 소중한 제 가족이에요."

여자는 가볍게 고개를 숙여 인사하더니 뒤로 돌아, 왔던 길로 사라져갔다. 걸을 때마다 만두의 귀와 여자의 머리카락이 한없이 나풀거렸다. 똑 닮은 둘의 뒷모습을 바라보며 나는 '저 여자는 '연두'를 누구보다도 먼저 챙길 수도 있겠구나.'라며 중얼거렸다. 아주 짧은 시간이었겠지만 반려동물을 잃었다고 생각한 여자의 모습은 절망적이었다. 강아지를 '반려동물'이나 '애완동물'이라 표현하지 않고 '가족'이라 말하는 여자의 목소리가 귓가에 맴도는 기분이었다.

"또 넋 놓고 서 있지?"

여자와 강아지가 사라진 곳을 응시하고 있느라 아빠 차가 내 앞에 와서 서는 것도 미처 알아차리지 못하고 있을 때, 조수석에 탄 엄마가 내게 말을 걸어왔다. 화들짝 놀란 나는 그제야 차 뒷문을 열고 차로 올라탔다. 두꺼운 외투 때문에 몸이 잔뜩 둔해진 나는 등과 손에 잔뜩 짊어진 짐 때문에 낑낑거리며 겨우 차에 탈 수 있었다. 내가 뒷좌석에 몸을 싣기가 무섭게 아빠가 내게 물어왔다.

"지은이, 아까부터 유독 말이 없는 것 같은데. 무슨 일 있어?"

아빠는 항상 조잘거리던 내가 갑자기 말수가 적어진 것을 느낀 것인지, 내 표정을 확인하기 위해 백미러를 통해 내 얼굴을 보며 물었다. 엄마는 아빠 말이 끝나기가 무섭게 고개를 홱 돌려 뒤에 앉은 나를 쳐다봤다. 날카롭게 상태를 살피는 엄마의 눈빛을 정면으로 마주한 나는 잠시 우물쭈물하며 대답하지 못했다.

"아니, 뭐…. 그냥. 이것저것 고민하느라 생각이 많네."

"너 설마, 아직도 그 전쟁 어쩌구 저쩌구 하면서 고민하는 거 아니지?"

우물거리며 제대로 대답을 하지 않은 나는 괜히 창밖으로 지나는 사람들을 향해 시선을 옮겼다. 내가 시원하게 말을 해주지 않자, 엄마도 더 이상 물어오지 않았다. 우리가 탄 차는 곧 신호에 걸려 정지선 앞에 정차했다. 사람들은 외투 주머니에 손을 깊숙이 찔러넣고 몸을 잔뜩 웅크린 채 횡단보도를 건넜다. 주말 오후여서 평소보다 사람들이 많아서일까, 내가 이 동네에 오랜만에 와서일까. 유독 길거리에 사람들이 많은 풍경이 낯설게 느껴졌다.

"아유, 쟤네 웃는 것 좀 봐. 내가 다 행복해지는 것 같아. 옷 산 게 그렇게나 좋을까."

엄마는 양손 무겁게 종이 쇼핑백을 들고 신호를 건너는 부녀를 보며 말했다. 자연스럽게 나의 시선은 그 부녀를 향했다. 중학생 혹은 고등학생 정도 되어 보이는 여자아이 둘은 미소를 얼굴에 한가득 담은 채 쇼핑백과 아빠를 연신 번갈아 가며 쳐다보았다. 겨울옷을 잔뜩 산 것인지 종이 쇼핑백이 유독 두툼해 보였다. 여자아이들은 폴짝폴짝 뛰어가며 횡단보도 끝까지 갔다가 다시 아빠가 있는 곳으로 돌아오기를 몇 번 반복했다. 인도에 다다를 때쯤 되어서는 아빠의 양팔에 팔짱을 끼고는 유유히 사라졌다.

엄마와 아빠는 세 부녀가 신호를 건너 인도로 올라갈 때까지 그들에게서 눈을 떼지 못했다. 그들의 뒷모습을 바라보는 엄마 아빠의 입가에도 미소가 걸려 있었다.

"아빠랑 딸들이 쇼핑 다녀왔나 보네. 보통 저 나잇대 여자애들은 아빠랑 쇼핑 안 가려고 할 텐데."

"그러게. 엄마가 바쁜가. 아니면 엄마랑 떨어져서 지내나?"

평소에도 이리저리 호기심이 많은 아빠가 신호를 건너는 가족들에 대한 추측을 내리기 시작했다. 엄마는 다른 가족 신경 쓸 시간에 우리 가족들이나 잘 챙기라며, 아빠를 장난스럽게 타박했다.

"근데 저 가족들 참 행복해 보인다. 웃는 거 보고 있으니까 내가 다 행복해져."

엄마와 아빠의 대화에 내가 불쑥 끼어들자 엄마와 아빠는 동시에 백미러를 통해 나를 보았다. 둘 다 내 말이 의외라는 듯한 반응이었다. 그런 반응을 뒤로 한 채, 나는 점점 멀어져가는 세 가족의 모습을 응시했다. 아빠의 추측이 사실인지 아닌지와는 무관하게, 내가 본 세 사람은 견고한 따뜻함을 내뿜고 있었다.

신호가 주황 불로 바뀌더니, 곧 초록 불이 되었다. 차는 다시 내 집을 향해 달리기 시작했다.


"다 챙겼지? 빼먹고 안 내린 물건은 없어?"

조수석 창문을 내리고 고개를 내민 엄마가 내게 큰소리로 물어왔다. 나는 놓고 내리는 것 없이 모두 잘 챙겼다고 대답하며 손을 흔들었다. 가볍게 손을 흔드는 아빠와 엄마의 모습 앞으로 창문이 올라가더니 차는 금방 출발했다. 뒤에다 대고 열심히 손을 흔들기도 잠시, 아빠 차는 금방 다른 차들 틈에 섞여 들어가 모습을 찾아보기 어려워졌다. 금방 사라져버린 엄마와 아빠의 모습이 아쉬워 괜히 '쩝' 소리가 나게 입맛을 한 번 다셨다. 하얀 입김이 내 시야를 잠시 가렸다가 흩어졌다.

가족들과 함께 있다가 우리 집으로 돌아오면 어김없이 남아있던 아쉬움이 입김과 함께 흩어져 갔다.

　며칠이나 집을 비운 탓에 집 안에서는 한기가 돌고 있었다. 급히 보일러를 틀고 짐을 내렸다. 냉장고에 가져온 음식들을 넣기 시작하자 음식이라고는 산 지 몇 주나 지난 달걀 세 개와 물뿐이던 냉장고가 금세 꽉 채워졌다. 이제야 좀 사람 사는 집 냉장고 같아졌다는 생각을 하며 냉장고 문을 닫았다. 간단히 씻고 나오니, 집에는 훈훈함이 돌기 시작했다.

　"이럴 때는 집이 좁은 게 좋다니까."

　보일러 열기에 차가운 몸을 녹이며 캔들 조명을 켜자 은은한 노란 불빛이 집안을 가득 채웠다. 기분 좋게 따뜻한 온기를 느끼며 다시 냉장고를 열었다.

　"오늘 저녁으로는 뭘 해 먹지? 좀 간단하게 먹어볼까."

　점심에는 가족들과 푸짐하게 식사를 했으니까 저녁은 간단하게 채소를 볶아 먹어야겠다고 생각하며 냉장고에서 재료들을 하나둘씩 꺼냈다. 엄마가 챙겨준 손질된 전복이 냉장고 한켠을 차지하고 있었다. 집에서 맛있게 먹을 것을 생각하며 신나게 전복을 손질하던 엄마의 모습이 떠올라서 괜히 미소가 지어졌다. 엄마가 깎아주던 사과를 날름 잘 받아먹던 아빠와 사과를 손에 꼭 쥐고는 놓지 않던 연준이, 그리고 전쟁이 나면 연준이를 데리고 대피소로 가겠다던 언니와 그런 언니까지 챙겨야겠다는 형부까지. 그럼 나는,

　"아!"

분명 당근을 조준하고 있던 칼날이 내 왼손 검지를 스쳤다. 상처 사이로 핏방울이 동그랗게 맺히기 시작했다. 대충 휴지를 뽑아 피부터 지혈했다. 평소에는 피어싱을 소독하는 데에나 쓰던 소독약을 꺼내서 소독을 마치고, 연고를 발랐다. 작은 상처이기는 했지만, 꽤 깊게 베인 것인지 아릿한 감각이 손끝을 맴돌았다. 연고가 묻은 채로는 요리를 마칠 수 없으니 밴드라도 붙여야겠다고 생각하며 서랍을 뒤졌다.

"이런 게 있었구나?"

몇 주 전에 친구가 신기해서 산 거라며 나눠준 밴드를 꺼내 들었다. 손가락 끝에 상처가 났을 때 사용하는 'T'자 모양의 밴드였다. 말끔하게 밴드를 붙인 뒤, 라텍스 장갑을 꼈다. 저녁 식사 준비를 모두 마친 뒤 장갑을 벗었을 때도 밴드는 처음에 붙인 그 모양 그대로 남아있었다. 옛날에는 이런 모양의 밴드가 없었는데 세상이 참 많이 좋아졌다는 한참 나이 많은 아저씨들이나 내뱉을 법한 생각을 했다. 생각은 자연스럽게 어렸을 적 손이 베였을 때 엄마가 치료해주던 기억으로 이어졌다. 엉성하게 붙여둔 밴드를 떼어내고 다시 정성스럽게 붙여주던 기억. 혼자서 상처 치료도 혼자 못하니, 어른 되려면 아직 한참이나 더 걸리겠다며 나를 놀리던 아빠의 목소리도 떠올랐다.

"그럼 나 이제는 어른인가? 혼자서 밴드도 잘 붙이니까."

십 몇 년 전의 아빠로부터 어른으로서 인정받았다는 생각이 들자 웃음이 흘러나왔다. 음식들을 식탁에 옮겨놓고, 여느 때와 다름없이 OTT 어플을 켰다. 항상 챙겨보던 예능 프로그램의 새로운 회차가 업로드된 것을 확인하고는 고민 없이 영상을 재생시켰다. 경쾌한 오프

닝 멘트가 우리 집 안을 가득 메웠다. 출연진들이 서로를 향해 안부를 묻고 농담을 주고받는 대화가 이어졌다. 실없는 농담 몇 마디에 피식 피식 웃던 나는 음식을 먹기 위해 고개를 숙일 때마다 옆으로 흘러 내려오는 머리카락이 거슬리기 시작했다. 자리에서 일어나, 화장대로 쓰고 있는 책상으로 향했다. 일어서자 비로소 방의 풍경이 올바로 보였다. 처음으로 내 시선이 향한 곳은 노란 불빛을 내뿜고 있는 캔들 램프였다. 이어서 램프 빛으로 가득 찬 우리 집을 보았다. 하얗게 텅 비어 보이기만 하던 우리 집에 노란색이 들어차 있었다.

"이젠 좀 따뜻하네."

익숙한 집안 풍경과 손가락 위의 밴드를 번갈아 가며 쳐다보다가, 식탁에 차려진 내 저녁 식사를 바라보았다. 내가 먹기 위해 만든 음식을 물끄러미 보았다.

책상 위에서 머리끈을 찾아 머리를 대충 묶었다. 적당히 식어 먹기 좋아진 채소볶음이 더 식기 전에 식사를 끝내야겠다고 생각하며 다시 젓가락을 들었다.

"갑자기 전쟁이라도 나면 어떡해요! 여러분들 다 집에서 몇 날 며칠은 버텨야 할 거 아니에요!"

내가 오늘 하루 내내 생각했던 질문이 갑자기 다른 사람의 입에서 나오자 놀란 나는 두 눈을 번쩍 뜨고는 예능이 재생되고 있는 화면을 응시했다. 집에 음식과 식재료들을 잔뜩 쌓아놓고 사는 여성 출연자의 모습을 본 다른 출연진들이 기겁하자, 여성 출연자는 당황해하며 변명 아닌 변명을 시작한 것이었다. 나와 비슷한 생각을 한 적 있다는 것에 동질감이 느껴졌다.

영상은 계속 이어졌고, 내 손의 젓가락은 접시 위의 채소볶음과 내 입을 오가며 열심히 음식을 가져다 날랐다. 재료로 넣은 것도 몇 개 없는데 왜 이렇게 맛있는지 모르겠다며 스스로의 음식 솜씨에 감탄하다 보니 접시는 금방 비워졌다.

"생각해보니까 나도 전쟁 나면 지켜야 하는 사람이 있었네."

접시를 깨끗하게 비운 뒤 젓가락을 내려놓음과 동시에 나는 뭔가 큰 깨달음을 얻은 사람처럼 탄식했다.

"챙겨야 하는 사람이 있었어."

물을 담아 둔 유리잔에 투명하게 비친 내 얼굴은 만족스러운 미소를 짓고 있었다. 식탁 위의 설거지거리들을 모두 챙겨서 그대로 싱크대로 향한 나는 뜨거운 물을 틀고 고무장갑을 꼈다. 수도꼭지에서 쏟아져 내려오는 뜨거운 물줄기에서 이탈한 물방울 몇 개가 수증기가 되어 공중으로 흩어졌다. 고무장갑 너머로 그릇의 뽀득거리는 감촉을 느끼며 기분이 좋아진 나는 자연스럽게 콧노래를 흥얼거리고 있었다.

우리 집이 노란 조명 불빛과 따끈한 공기, 흩어지는 물방울들과 나의 콧노래 소리로 가득찼다.

나는, 비로소 나의 대피소를 찾았다.

# 회한

안지환

**안지환**　어렸을 때 글 쓰고 그림 그리는 행위에 빠져들었던 때가 있었습니다. 그때 아기의 심장처럼 작고 소중한 저만의 꿈을 가지게 되었었지만 제 삶이 나아지는 방향은 아니었기에 애써 심장 소리를 외면해 왔습니다. 그 이후로 누구와 다를 것 없이 평범한 직장에 소속되어 9년째 일하고 있었으나 어느 날 소중한 사람이 떠나갔습니다. 그 순간에 들었던 많은 생각과 감정들을 글로써 표현하고 싶었습니다. 제 글이 각자의 소중한 사람을 상기시킬 수 있으면 좋겠습니다.

똑, 똑

파란색 큰 통에 빗물이 담기고 있었다. 비가 많이 오는 날이면 할머니가 사용하는 방안 천장에서 물이 새어 나왔다.

'이제 이 집도 오래됐네.'

지금 살고 있는 집은 이미 돌아가신 할아버지가 직접 지은 집이라고 들었다. 이북 사람이었던 할아버지가 할머니 하나만 바라보고 부산까지 내려왔고, 바닷가 주변에 땅을 구해서 직접 집을 지었다고 들었다. 모질게 세월의 풍파를 맞은 집은 지금은 60년이라는 세월이 흘러 천장이 살짝 내려앉아 있었다. 방문은 내려앉은 천장 높이 따라서 사선 형태로 기울어져 있었다. 당장이라도 무너질 것처럼 위태해 보였다.

"아이고, 언제까지 이래야 하노, 아파트로 이사 가고 싶다. 언제 무너질지 모르겠네"

할머니가 천장을 보며 말했다. 학생인 나는 그저 말없이 바라볼 수밖에 없었다. 보수하려면 돈이 들었고, 집안 사정이 안 좋기 때문에 큰 돈을 한 번에 낼 수 없었다.

"환아, 니는 커서 아파트에서 살아야 한데이. 이렇게 살다간 내처럼 골병 든다"

평소에 입에 닳도록 하는 말이었다. 할머니의 한이 맺힌 말이기도 했다. 사연이 있고 추억이 있는 집이기에 말은 저렇게 하면서도 떠나기 싫어하는 것을 안다. 물론 지금보다 좋은 집에 살면 좋겠지만, 추억이 뿌리처럼 깊게 내려앉아 있기에 떠나기가 쉽지 않았다. 그러니 저 말이 미련처럼 들렸다. 평소처럼 한 귀로 흘려듣고는 서둘러 밥을 먹고 내방에 들어왔다.

책상에 앉아 이어폰을 끼고 평소에 즐겨듣던 노래를 틀었다. 특히 류이치 사카모토의 메리 크리스마스라는 노래가 좋았다. 초반의 청아한 피아노 소리가 침울했던 감정을 녹여냈다가 이어서 낮게 깔리는 연주는 감성을 자극했다. 노래가 길어질수록 감성이 휘몰아쳤고 이 기분을 원동력삼아 상상의 나래를 펼치면서 종이 위에 선을 그려냈다. 음악에 몰입하며 영감이 떠오르는 대로 그림을 그려내는 것이 좋았다. 과정은 즐거웠고 완성된 그림을 볼 때면 성취감에 전율이 일었다. 가난해도 평생 그림만 그리고 살 수 있다면 죽을 때까지 행복할 것 같다는 생각이 들었다. 그만큼 무아지경으로 몰입하고 있었다. 하지만 중간에 누군가 어깨를 건드리는 느낌이 났다. 순간 흐름이 끊겼다. 옆을 보니 할머니가 내게 무언가를 말하고 있었다. 끼고 있던 이어폰을 빼자 그 말이 들렸다.

"환아, 사과줄까 먹을래?"

"괜찮아요, 안 먹어도 돼요."

"하나만 먹어라, 할머니랑 반씩 나눠 먹자"

"괜찮아요, 생각 없어요."

몰입할 때면 무언가를 먹는 것마저 흐름에 방해가 되기에 거절했다. 할머니는 이 느낌을 알까? 모를 것이라 생각하기에 짧게 대답했다. 방해받지 않는 나만의 시간이 필요했다. 흐름이 깨지기 전에 다시 몰입해서 그림을 그려내고 싶어서 직접 방문을 닫으려고 일어났다. 문을 닫으려는 순간 할머니는 알겠다고 작게 말하며 뒤돌아갔다. 잠깐 멍한 상태로 그 뒷모습을 바라봤다. 알겠다는 그 한마디에 서운한 감정이 여실히 느껴졌기 때문이다. 하나라도 더 챙겨주고 싶어서 말한 정성을 매몰차게 차버린 것 같았다. 미안함에 속이 가려왔지만 아까 몰입하던 작품의 완성이 우선이었다. 천천히 마음을 다잡으며 마무리를 위해 다시 그림을 그려갔다.


시간이 얼마나 지났을까, 창밖을 보니 어둠이 짙게 깔려있었다. 이어폰을 빼니 할머니의 방안에서 텔레비전 소리가 작게 들렸다. 동시에 서운해하던 할머니의 모습이 떠올랐다. 한동안 텔레비전 소리를 들으며 생각에 잠겼다. 계속 마음이 불편했고 미안함을 표현해야겠다는 생각이 들었다. 부엌에 가서 사과를 두 개를 꺼내 먹기 좋게 잘라서 할머니에게 건넸다.

"할머니, 아까 사과 먹고 싶어 했잖아요. 이거 먹어요."

"아이고, 왜 니가 했노? 할미가 하면 되는데"

서운해하던 모습과 반대로 미소를 띠었다. 그 덕분에 미안했던 마음이 약간 사그라들었다.

"저봐라~ 우리도 이제 큰일 났네. 환아, 마스크 꼭 쓰고 다녀야 한다."

할머니가 사과를 한입 베어 물고서는 인상을 찡그리며 말했다. 텔레비전에서는 코로나 확진자가 갑자기 급증하고 있다는 뉴스가 나오고 있었다. 덩달아 사망자도 같이 증가하고 있다는 통계가 이어서 나왔다. 할머니가 전단을 나눠서 버는 돈으로 생활하고 있었던 터라 지금 나오는 뉴스를 보니 마음이 불편해졌다. 만약 할머니가 코로나에 걸린다면 다른 사람보다 회복이 힘들 수 있지 않을까.

"할머니도 전단 나눠주는 일 하지 마요."

"아이고? 할미 걱정해 주는 기가? 마스크 쓰면 괜찮단다, 걱정하지 마라"

대학교 교수님이 이 주일 뒤에 신입사원을 채용하기 위해 어느 회사에서 사람이 온다고 했던 말이 떠올랐다.

"저 곧 취업할 수 있으니까 괜찮아요, 얼마 안 남았어요. 이제 좀 쉬어요."

"알겠다, 이제 우리 환이 돈 많이 벌어서 할머니 호강하게 해주나?"

할머니가 나의 머리를 쓰다듬었다. 어렸을 때와 달리 좋은 느낌은 아니었기에 기분이 상하지 않도록 천천히 일어났다.

"내일 아침 일찍 강의 들으러 가야 해서 지금 자러 갈게요."

"그래 잘 자라."

그 말을 뒤로하며 방을 나왔다. 침대에 누울 때까지 조금 전에 봤던 뉴스 내용이 떠올랐다. 당분간 그림 그리는 것보다 취업 준비에 집중해야겠다는 생각이 들었다.

문너머로 와장창 깨지는 소리와 동시에 어떤 물건이 떨어지는 소리가 들렸다. 갑작스러운 소란으로 인해 잠에서 깼다.

"아이고, 허리야……."

연이어 고통스러워하는 할머니의 목소리가 들려오자 무슨 일인가 싶어서 방문을 열고 나갔다. 거실 입구에 흙더미가 엎어져 있었고 신발장에 깨진 화분이 널브러져 있었다. 바로 그 앞에 할머니가 주저앉아 있었다.

"다쳤어요? 이런 건 나 시켜요. 왜 사서 고생해요."

집에 내가 있는데 왜 부탁하지 않은 건지 이해되지 않았다. 걱정되어 상태를 살피니 다행히 다친 데는 없었다.

"내일 날이 좋단다, 그래서 마당에 화분 좀 내놓으려고 했지, 너 자고 있는데 깨우기 그렇지 않냐"

태연히 말하면서 고통에 일그러지는 얼굴을 보니 화가 났다. 내일 아침에 할 수 있는 일을 왜 이런 새벽에 하는지 이해할 수 없었다. 내일 아침에 나와 같이 옮겼더라면 이런 상황이 발생하지 않았을 테니까.

"아 진짜, 왜 일을 만들어요. 자기 전에 부탁하던지, 아니면 내일 아침에 나랑 같이하면 됐잖아요."

퉁명스레 한마디 던졌다. 피곤한 정신 때문인지 신경이 더 날카로워져 있었다. 말이 곱게 나오지 않았다.

"뭐 옮기면 되는데요."

"미안하데이, 거실에 있는 거 좀 다 옮겨줄 수 있겠나?"

자다가 떠져버린 머리 때문인지 눈앞에 벌어진 상황 때문인지 지끈거리는 머리를 긁으며 거실에 있는 화분을 마당으로 옮겼다. 할머니는 주저앉은 자리에서 허리를 부여잡고는 숨을 고르고 있었다.

"내가 나이가 들어서 그런가, 이제 조금만 움직여도 어지럽고 숨이 찬다."

그 말에 대꾸하지 않고 묵묵히 화분만 날랐다. 원망을 분위기로 표현하고자 했다.

"고맙다."

할머니가 천천히 일어서더니 작은 화분을 집어서 건넸다.

"됐어요, 내가 할 테니 방 안에 들어가서 쉬어요."

한 손 거들려고 하는 건 알지만 도움이 되진 않았다. 차라리 걱정되지 않도록 쉬고 있는 게 마음이 편했다.

"혼자 괜찮겠나?"

두세 번 괜찮다고 말하니 미안하다는 한마디를 남기고선 천천히 방안에 들어갔다. 방문 닫는 모습을 보고 다시 화분을 옮기려 하자 깨진 화분들이 발끝에 걸렸다. 마치 일그러진 나의 반항심처럼 형편없고 날카로웠다. 할머니의 마음이 저 날카로움에 베였을까. 불편한 마음을 지닌 채로 남아있던 화분을 하나씩 옮기기 시작했다. 시간이 지날수록 예민했던 신경이 점차 수그러들었고 할머니가 아까 상황에서 상처받았을까 봐 걱정됐다. 항상 먼저 퉁명스럽게 대하고 되레 마음을 썼다. 철부지 같은 모습이 한심하다고 생각하면서 할머니 방으로 향했다.

"할머니 허리 어때요, 괜찮아요?"

방안이 어두웠지만 침대에 걸터 앉은 채로 숨을 고르고 있는 모습이 보였다.

"괜찮아, 이제 아무렇지 않아. 고생했다. 얼른 가서 다시 자야지"

"물이라도 드려요?"

"괜찮다, 어여 자라, 고맙데이"

숨을 고르는 모습에서 위화감이 들었고 계속 신경쓰였다. 하지만 아침 일찍 강의가 있었기에 서둘러 방에 가서 잠을 청했다.


집을 나서니 구름이 연상될 정도로 안개가 짙게 깔렸다. 습기를 머금은 공기는 몽롱한 감각을 깨울 정도로 싱그러웠다. 남아있던 피곤함을 날리기에 충분했다.

'할머니가 오늘은 날이 좋다고 했는데 이거 날이 좋은 게 맞나. 공기는 좋네.'

가벼운 의문을 가진 채 등굣길에 올랐다. 학교까지 20분 정도 걸어가야 했다. 하지만 자주 다니다 보니 대로변보다 조금 더 빨리 갈 수 있는 좁은 골목길을 찾았었다. 15분으로 단축될 수 있는 길이 있었고 오늘은 그 길로 향했다. 그렇게 좁은 골목길에 들어서는 순간이었다.

골목 맞은편에서 서로 팔짱을 낀 노부부가 걸어오고 있었다. 멀리서 느껴지는 분위기가 이색적이었다. 할아버지는 선글라스를 낀 채로 지팡이에 의존하며 걷고 있고, 그 옆에서 할머니가 할아버지를 부축하면서 걷고 있었다. 눈이 보이지 않는 할아버지를 보살펴야 하는 할머니가 힘들겠다는 생각이 들었다. 하지만 거리가 가까워질수록 할머니의 표정은 생각과 달랐다. 귀한 보석을 품에 안은 것처럼 행복해 보였다. 반달 모양처럼 진하게 눈웃음을 지으면서 땅과 할아버지의 얼굴을 번갈아 봤다. 할아버지가 넘어질까 봐 팔짱을 낀 채로 보폭에 맞춰 천천히 걸었다. 마치 아름다운 작품을 보는 듯한 느낌이었다. 어째서인지 모르겠지만 이 장면을 머릿속에 담고 싶었다. 모습이 사라질 때까지 가만히 서서 바라보았다. 노부부로부터 순수하고도 아름다운 감정을 느꼈다는 사실이 낯설었지만, 옳다는 것을 배웠다. 어디서도 보지 못한 사랑의 형태였다. 어떤 말로 저 사랑을 표현할까. 여운을 곱씹으면서 다시 가던 길을 가려니 문득 할아버지를 여의고 혼자서 나를 보살피고 있는 할머니가 생각났다. 방금 목격한 장면이 외면해 온 할머니의 상처를 다시 돌아보게끔 했다. 퉁명하게 던져댔던 말 한마디가 얼마나 날카로운지 짐작하지 않으면서 가벼운 돌을 던지듯 쉽게 던져댔었다. 과거에 저지른 철부지 같은 모습들이 주마등처럼 떠올랐다. 그것을 온전히 받아낸 할머니는 얼마나 많은 아픔을 겪었을까. 그럼에도 힘든 내색 없이 집안일을 하면서도 생활고에 보탬이 도리어 전단을 나눠주는 알바를 했다. 나는 왜 이런 상황들을 당연하다고 여기고 있었을까. 금방 목격했던 상황과 비교되면서 마음이 쓰라려 왔다. 효도는 못할망정 불효를 저지르고 있던 과거가 후회되었다.


　하교하는 길에 전통 과자를 파는 가게에 들렀다. 며칠 전에 전병과 조청 강정이 맛있다고 혼자 두 봉지를 먹던 할머니가 떠올랐었다.

　"아직 어려 보이는데 이런 전통 과자 좋아하나 보네?"

　"할머니가 좋아해서요, 사드리려고요."

　"아이고, 부모가 자식 잘 키우셨네~ 여기 받아요. 효자네 효자."

　그 한마디에 기분이 좋다기보다 비수가 되어 가슴에 꽂혔다. 애써 지은 미소는 분명 일그러져 있을 것 같았다. 가벼운 인사를 하고 집 가는 길에 올랐다. 생각해 보면 할머니가 어떤 음식을 좋아하는지 특정하기 어려웠다. 국수를 좋아한다고 했다가 청국장을 좋아한다고 했다가, 다른 날에는 잡채를 좋아한다는 둥 들었던 음식이 한둘이 아녔다. 그중에 무엇을 가장 좋아하는 것을 특정하자니 당장 떠오르는 게 없었다. 그나마 평소에 먹고 싶다고 노래 부르던 해삼이나 전어회를 떠올릴 수 있었지만, 학생인 나로서는 그 정도의 돈이 없었다. 지금은 이 정도만 사드리고 나중에 취업하고 월급을 받으면 사드려야겠다고 생각했다. 어쩐지 요즘 얼굴에 살집이 오르고 있으신 것 같다는 생각이 들었다.

　'생각해 보니 할머니 식성이 좋으시구나'

　집에 도착하자 현관문이 살짝 열려있었고 그 앞에 못보던 신발이 하나 있었다.

　"야야, 환이 왔나?"

"어? 고모, 안녕하세요."

집에 들어서는 나를 본 고모가 거실에 나와 먼저 인사를 건넸다. 고모는 혼자 자식 둘을 키우느라 특별한 날이 아니고선 집에 잘 내려오지 않았었다. 내가 모르는 특별한 일이 있나 싶어서 이유를 물으려 했지만, 고모가 바로 그 이유를 설명했다.

"내가 미치겠다, 할머니가 혼자 영정사진 찍었다고 전화 와서 바로 달려와 봤다."

순간 머리를 얻어맞은 듯한 느낌을 받았다.

"내 나이가 들어가 언제 갈지 모른다 아이가!"

할머니방안에서 언성을 높이는 목소리가 들렸다. 한차례 실랑이가 있었던 것 같았다.

"아니 그래도 그렇지, 왜 그걸 혼자 가서 찍고오노"

서둘러 할머니 방에 갔다. 탁자 위에 진하게 화장하고 고운 한복으로 차려입은 할머니의 영정사진이 있었다. 보자마자 숨이 멎는 듯한 느낌이 들었다. 할머니가 떠날 날이 머지않았다는 사실이 실감났다. 마음이 울적해졌지만 아무렇지 않은 듯이 손에 들린 강정을 그 옆에 올려놓았다.

"이게 뭐고? 니가 사 왔나?"

할머니가 들춰보더니 강정을 하나 들었다. 뒤따라왔던 고모도 탁자 옆에 앉더니 전병을 하나 들어서 같이 먹기 시작했다.

"그냥 학교 앞에 팔길래 사 왔어요"

그러자 고모가 날 보며 말했다.

"니가 먼 돈이 있다고"

남아있던 용돈으로 샀다고 하니 괜한 돈 썼다고 걱정했다. 하지만 돈보다는 의미가 있기에 아깝지 않았다. 할머니가 강정을 크게 한 입 베어 물었고 그 모습을 보던 고모는 이때다 싶었는지 다시 한 번 추궁했다.

"할머니 봐라, 저렇게 볼살이 통통~ 하다 아이가. 저런 사람이 언제 간다고 벌써 이런 걸 찍어오고 그러노"

그 말을 들은 할머니가 순간 고모를 째려봤다. 나만 느낀 게 아니었구나 싶어서 실없이 웃음이 났다.

"야, 그래도 봐라. 니 할머니 이쁘게 찍으려고 이렇게 화장까지 하고 갔다."

"이쁘게 찍어야지! 그럼 못나게 찍나?"

"맞다! 그건 잘했다. 근데 좀 더 이쁜 한복 입고 가서 찍지"

"있는 게 이거밖에 없다 아이가"

분위기가 내려앉은 집안에 활력이 생기는 듯했다.

"그래도 잘 나오긴 하셨네요."

솔직한 심정이었다. 화장 때문이겠지만 피부는 하얗고 눈빛은 또렷하게 카메라를 응시하고 있었다. 머리 스타일에도 한껏 힘줬는지 볼륨감이 넘쳤다.

"니 할머니 어렸을 때 멋쟁이였다 아이가, 지금 나이 들어서도 잘 꾸민다."

"내도 왕년에는 인기 많았다."

실없는 농담처럼 들린 한마디에 고모와 나는 웃음이 새어 나왔다.

"하긴 할머니 젊을 때 이쁘긴 했다."

"다 필요 없고, 내 가게 되면 옆에 예쁜 꽃이나 꽂아도"

"아 진짜, 왜 자꾸 그런 말 하노!"

활력이라고 다 좋은 것만은 아닌 것 같다.


컴퓨터 책상에 올려놓았던 핸드폰이 울렸다. 얼마 전 다녀간 고모로부터 온 전화였다. 무슨 일인가 싶은 마음에 연결했다. 전화를 귀에 가져다 대기도 전에 다급한 목소리가 들렸다. 대답을 기다리기 힘들다는 듯이 같은 말을 몇 번이고 반복했다. 울음 섞인 말에 제대로 알아들을 수가 없었지만 여러 번 듣고 나서야 무슨 말을 하려는지 이해했다.

"니 어디고? 할머니 무슨 일 있는 거 아니가? 빨리 할머니 방에 가봐라! 물어도 이상한 말만 하고 대답을 안 한다"

무슨 일이 있겠나 싶어 천천히 일어나 할머니 방에 갔다. 꺼져있는 전화기를 잡고 불안한 눈빛을 하는 할머니가 있었다. 무슨 일이냐고 물었지만 말없이 나의 얼굴을 빤히 쳐다봤다. 귀가 잘 안 들려서 그런가 싶어서 한 번 더 크게 말했지만 돌아오는 대답은 없었다. 순간 수화기 너머로 나의 이름을 부르는 소리가 들렸고 귀를 가져다 댔다.

"고모가 구급차 불러놨거든? 할머니 병 생긴 거 같은데 상태가 어떻노?"

구급차라는 말에 지금 상황의 무게를 수 있었다.

"할머니? 어디 불편해요? 아파요?"

마음이 불안해졌다. 무지함에 어떤 행동을 해야 할지 몰랐다. 불안감만 증폭되어 몸을 굳게 했다.

"어…… 어, 아아…… 어"

할머니의 입에선 옹알이 같은 소리만 나왔다. 눈빛은 갈 곳을 잃었고 손마저 바들바들 떨었다. 그 모습을 보고 있으니 머릿속이 하얘져 갔다.

"고모, 할머니가 이상해요. 말을 못 해요."

"이거 큰일 났다, 지금 차 끌고 가고 있으니까 그때까지 할머니 잘 보고 있어라."

할머니를 위해 무엇을 해야 하는지 명확한 답이 떠오르지 않았다.

"할머니, 고모 곧 온대요. 조금만 기다려요."

무기력함에 상황이 더 무겁게 느껴졌다. 할머니는 수화기를 잡고 있는 채로 힘껏 소리를 내보지만 알 수 없는 단어들이었다. 말을 안 하는 게 아니라 못하는 것이라는 걸 알려주는 듯했다. 1초가 1분처럼 느껴졌고 아무나 한시라도 빨리 오기를 빌 수밖에 없었다. 할머니가 진정길 바라며 천천히 등을 두드렸다. 손이 등에 닿을 때마다 전해져오는 떨림이 마음을 후볐다.

"환아! 할머니 빨리 데리고 나온나!"

얼마나 지났을까, 구급차보다 고모가 먼저 문을 열고 들어왔다. 속으로 원망의 소리를 질렀지만 어쩌겠는가. 우리에겐 할머니를 병원으로 이송시키는 게 우선이었다. 조심스레 할머니를 부축해서 일으키고 보니 제대로 몸을 가누지 못했다. 마치 술에 취한 사람처럼 균형감각이 없었다. 나에게 반쯤 업히듯 몸을 기댄 채로 고모가 끌고 온 차까지 이동했다. 차에 타는 순간 고모는 비상깜빡이를 켠 채로 병원으로 출발했다. 이 순간만큼은 신호등이 애꿎게 보였고 고모 또한 모든 신호를 무시한 채로 달렸다. 옆에서 불안할 할머니의 손을 붙잡고 있다 보니 많은 주름살이 만져졌다. 그 손에는 어릴 적 사고로 인해 크게 다쳤던 흉터가 있었다. 시간이 지나 그 흉터는 세월에 짓이겨진 듯 흑색으로 물들어있었다. 이런 상황이 와서야 할머니의 손을 잡아보는구나. 거친 돌멩이로 마음을 짓누르는 듯했다. 순간 속이 뜨거워지면서 목이 메웠다. 할머니의 얼굴을 쳐다보기가 힘들었다. 그간 가족의 울타리 안에서 권리인 것처럼 부렸던 과거의 투정들이 죄스러웠다.

병원 응급실 앞에 차를 세워놓고 할머니를 부축해서 들어가려 했다.

"무슨 일로 오셨어요?"

응급실 입구에 있던 젊은 보안요원이 물었다.

"응급실요! 어머니가 이상해요, 갑자기 말을 못 해요."

"세분, 코로나 검사는 하셨어요?"

"사람이 위독하다고요!"

"중환자실에 응급환자가 많기 때문에 전염병이 있는 환자는 출입할 수 없습니다. 코로나 검사부터 먼저 하셔야 해요"

마치 입력된 대로 말하는 로봇 같았다. 냉혹한 현실이 원망스러웠다. 고모를 대신해서 침착하게 물었다.

"코로나 검사는 어디서 하죠?"

"옆에 화살표 보이시죠? 쭉 따라가면 코로나 검사 장소가 나옵니다. 불편하시겠지만 검사받으시고 출입 부탁드립니다."

서둘러 화살표를 따라 걸었다. 주말이라 그런지 코로나 검사받으러 온 인원이 병원 부지를 메매우고 있었다.

"아, 진짜 이게 뭐고! 사람이 위독하다는데 이걸 기다려야 하나!"

답답한 마음에 고모가 호통쳤다.

"니 여기 할머니랑 같이 있어봐라, 내 빨리 검사받을 방법이 있는지 알아보고 올게"

고모가 출입구 쪽으로 달려가더니 나이가 있어 보이는 보안요원에게 사정을 설명하는 듯했다. 그 요원은 병상을 짐작한 듯 안으로 급하게 달려갔고, 수분이 흐르고 나서야 방호복을 입은 간호사와 같이 나왔다.

"보호자 한 분만 따라와 주세요."

"환아, 니는 집에 가 있어라, 고모가 나중에 말해줄게"

간호사와 고모가 할머니를 부축하면서 안으로 들어갔다. 마음이 불편한 상태로 그 뒷모습을 멍하니 바라봤다. 고모가 했던 말과 달리 병원 안에는 들어가 봐야겠다 싶어서 코로나 검사를 받고자 대기했다. 그리고서 몇 시간이 흘렀을까, 할머니와 지낸 과거를 회상하며 코로나 결과를 기다리고 있으니, 고모한테서 전화가 걸려 왔다.

"당황하지 말고 침착하게 들어라, 할머니…… 뇌출혈이란다."

"네? 뇌출혈요?"

급사할 수 있는 병이라는 건 알고 있었다. 하지만 그 병이 할머니한
테 나타났다는 사실이 믿기지 않았기에 되물었다.

"근데 검사받는 시점에서 이미 늦은 상태란다. 그래도 일단 지금 수
술 중이니까 수술 끝나고 결과 나오면 알려줄게. 기다리고 있어라."

"알겠어요, 꼭 전화 주세요."

전화를 끊는 순간 눈물샘이 폭발할 듯 끓어올랐다. 후드를 뒤집어
쓰고는 앉은 자리에서 고개를 숙인 채로 조용히 눈물을 흘려보냈다.


수술 이후 들었던 결과는 생명은 건졌으나 식물인간 상태이고 언제
떠나실지 모른다는 시한부 판정이었다. 그 말을 듣는 순간 세상이 내
려앉은 듯했다. 삼일간은 밥을 제대로 먹지 못했다. 일주일이 지난 지
금도 입맛은 없었지만 살아야 하니까 겨우 입을 댈 뿐이었다. 수술 이
후 할머니는 중환자실에 있어야 했다. 중환자실 면회 시간은 10분으
로 짧았다. 면회 첫날 중환자실에 들어서는 순간 멀리서 할머니의 모
습을 보자마자 면회 시간 내내 눈물이 흘렀었다. 그 이후로  지금은 매
일 다녀가서인지 병상에 누워있는 모습이 그새 익숙해져서 처음처럼
눈물 나진 않았다. 처음 그대로인 건 할머니의 의식이었다. 겉으로 봤
을 때는 의식이 있는 건지 알 수 없었다. 심박수 측정기에 그려지는 파
동과 손을 잡았을 때 느껴지는 온기만으로 살아있다는 인지할 뿐이었
다. 그래도 그때는 얼굴에 살이라도 붙어있었지만, 지금은 다 빠지고
비닐처럼 축 늘어져 있었다. 입은 옷이 널브러져 살짝 보인 뱃살이 주

름 진채로 늘어져 있었다. 그 때문에 앙상한 뼈가 더욱 도드라져 보였다. 얼굴은 할머니이되 몸은 다른 사람의 것을 보는 것 같았다. 마음이 먹먹해졌다. 그동안 먹고 싶어 하던 음식들을 다 사드리고 싶었다. 무언가라도 먹는 모습이 그립고 보고 싶었다.

"할머니, 빨리 나아서 집에 가요. 맛있는 거 다 사드릴게요. 나 알아보겠어요?"

절박함에 할머니의 두 손을 꽉 붙잡았지만, 할머니의 두 눈은 나의 마음을 외면하듯 감겨있었다.


회사 면접 통보를 받고 서울로 올라가는 길이었다. 그간 준비한 면접 멘트를 되짚고 있으니, 고모로부터 전화가 왔다. 혹시나 하는 마음에 마음을 추스르면서 전화를 받았다.

"통화되나?"

평소와 달리 무거운 말투였다.

"고모 말 잘 들어라, 상황이 어떤지 확실히 모르니까 당황하지 말고"

"무슨 일이에요?"

"할머니 입원해 있는 병원에서 전화 왔다, 의사 선생님이 할머니가 위독하다고 하면서 내일 가족 다 오라데"

순간 마음이 차분히 내려앉았다. 마음에 준비와도 같았다.

"아직 확실하진 않다, 일단 병원에서 최선을 다해보겠다고 했으니까 나아질 수도 있다. 니는 크게 신경 쓰지 말고 올라가던 길마저 올라가면 된다. 근데 고모가 이렇게 말하는 건 마음의 준비를 하고 있으라고 하는 말이니까 준비는 하고 있어야 한다."

이 상황이 실감 나지 않았다.

"면접 잘 보고 온나. 무슨 일 생기면 전화줄 테니까 그전까지 신경 쓰지 마라"

전화를 끊고 나니 마음이 돌처럼 굳어있었다. 아무런 생각이 들지 않았다. 굳은 마음이 깊은 수심에 빠지고 있는 듯했다. 시간이 흐를수록 점점 숨이 막혔다. 수영하는 것처럼 숨을 토해내고 들이쉬고를 반복했다. 그리고 어느 한순간에 슬픔이 거칠게 덮쳐왔다.

"할머니……."

입을 떼자 나온 한마디였다. 나의 불효를 떠올리며, 모든 행동을 반성하며, 옛 기억을 추억하며 말했다. 할머니라는 단어를 연이어 말할 때마다 할머니가 옆에 있는 것 같았기에 연거푸 외치며 마음을 달랬다. 그동안 영화처럼 기적이 일어나 할머니가 점차 회복되기를 바랐다. 실낱같던 희망을 붙잡은 채로 견뎌왔지만, 마지막 그 한 가닥이 끊어졌다.

면접이 끝난 직후 메신저에 한 문장이 도착해있었다.

'할머니 돌아가셨다.'

문장을 봤을 때 실감 나지 않았다. 곱씹어봐도 울적하기보단 이성적으로 안 좋은 상황이라는 걸 인지할 뿐이었다. 그 간 마음의 준비를 해서인지 나의 감정이 마른 탓인지 의심이든 채로 전화를 걸었다.

"할머니 돌아가셨다고요?"

"그래. 중환자실에서 돌아가셨다. 이놈의 코로나 때문에 할머니 곁에 있어 주지도 못한 상태로 혼자 쓸쓸하게 돌아가셨다. 눈뜨고 입 벌린 상태로 돌아가셨다던데 마음이 너무 아프다."

혼자라는 단어를 듣는 순간 억장이 무너져 내렸다. 마지막에 눈뜬 이유가 뭘까. 세상을 마지막으로 눈에 담기 위해서일까. 아니면 우리를 찾기 위해서일까.

"지금 바로 갈게요"

전화를 끊으면서 할머니가 마지막으로 봤을 병원을 상상했다. 새하얀 공간 앞에는 비슷한 처지로 입원한 사람이 있고, 그 옆에는 낯선 간호사와 의사가 옆에서 할머니를 지키고 있었을 것이다. 그 장면에 과거를 함께한 사람이 없다. 얼마나 서운했을까. 얼마나 쓸쓸했을까. 커다란 바위가 가슴에 무겁게 내려앉은 것 같았다.


부산에 도착하자마자 택시를 타고 장례식장으로 향했다. 가족의 임종으로 장례식장에 가는 것은 처음이었기에 택시에서 도착지를 말하는 순간까지 이질감이 들었다. 장례식장 로비에 들어서는 순간 엄중한 분위기 때문인지 숨이 막혀왔다. 로비에 있던 안내직원이 친절하게 할머니가 있는 위치를 설명해 줬지만, 마음의 준비를 하고자 사람이 없는 계단으로 향했다. 공간이 조용해지니 위층에서 비명과도 같은 울음소리가 선명히 들렸다. 그 순간 몸이 전기에 감전된 듯 힘이 빠졌고 엎질러진 물처럼 두 눈에서 눈물이 왈칵 쏟아졌다. 사람은 자신을 보호하기 위해 무의식적으로 방어기제를 사용한다고 한다고 했던 가. 내려올 때 눈물이 나지 않아서 감정이 말랐다고 느꼈었다. 하지만 그것은 방어기제를 사용하고 있던 나의 모습인 듯했다. 그리고 마침 무너져 내렸다. 한참 동안 눈물을 흘리고 나서야 마음이 진정되었다. 얼마나 울었는지 목이 계속 미세하게 떨려왔다. 여러 번 크게 심호흡하면서 떨림을 멈추고는 천천히 할머니가 있는 곳으로 향했다. 입구에 다다르자, 분향소에서 고인을 위한 노래가 들려왔다. 이 노래가 할머니를 대상으로 한 것임을 이해하니 또다시 눈물이 터질 듯했다.

"환이 왔나, 할머니 여기 있다."

고모가 손짓으로 분향소를 가리켰다. 그곳에 들어서자, 며칠 전에 할머니가 찍어온 영정사진이 가운데에 걸려있었고 그 주위로 국화가 날개를 이룬 듯 화려하게 펼쳐져 있었다. 두 눈으로 보고 있으면서도 지금의 상황이 믿기지 않았다. 지금 당장이라도 할머니가 영정사진을 뚫고 두 발 당당하게 걸어서 앞에 와줬으면 했다. 이 모든 것이 장난이었다고 누군가 내게 말해주길 간절히 바랐다.

이틀이 지나 발인일이 되었다. 아침 일찍 장례지도사를 따라 버스를 타고 화장장으로 이동했다. 체념한 채로 창밖에 보이는 번화가를 바라보고 있으니 거기서 느껴지는 생기가 덧없어 보였다. 저렇게 애쓰고 살아도 생의 끝은 같다. 치열한 삶에 집중하기보다 여유를 가지고 주변을 둘러봤다면 이런 회한이 들었을까. 과거를 추억하며 늦은 후회를 하면서 시간을 보내고 있으니 버스는 어느새 깊은 산속에 위치해있었다. 창밖에는 아까와 보았던 활력과는 반대로 앙상한 나무들이 줄지어있었다. 그 쓸쓸한 모양이 영혼의 양상을 비슷하게 표현해주는 듯하여 위로받는 느낌이 들었다.

화장장에 도착하자 운구 차량과 그 뒤를 따르는 버스들이 줄지어있었다. 도심 속에서는 보기 힘든 광경이었고 그 수가 한둘이 아니라는 점에 이질감을 느꼈다. 이 상황에 할머니가 포함되어 있다는 사실이 싫었지만, 한편으로 떠나는 길은 쓸쓸하지 않겠다는 생각이 들었다. 버스에서 내리자 화창한 하늘 아래 들려오는 울음소리가 대조적인 모양새를 띄었다. 그래서일까, 오늘만큼은 화창한 하늘이 매정해보였다. 운구차량에서 할머니의 관을 내리고 같이 화장장 안으로 들어섰다. 그 순간 밖에서 들었던 울음소리는 아무것도 아니란 듯이 날카로운 비명이 귓속을 파고들었다. 평소라면 눈을 찌푸렸을 만한 비명이지만, 지금은 저 심정이 이해되기에 감정이 동했다. 그래도 그간 한을 많이 풀어서인지 느껴지는 슬픔이 깊진 않았다. 나름대로 여유가 생긴 걸까. 화장을 진행하기 위한 절차 수속을 기다리면서 대기시간에 커피를 주문하려 했다.

"고모, 커피 드실 거예요?"

"응, 아메리카노 따뜻한 걸로 부탁한데이"

고모는 장례식을 치른 첫날부터 지금까지 눈물을 보이지 않고 있었다. 어떻게 지금까지 무너지지 않고 있을 수 있는 걸까. 성향이 그러한 걸까, 방어기제가 강한 걸까. 이유가 무엇이든 슬픔의 크기는 나보다 더 클 것이라고 확신하기에 대단하게 느껴졌다. 혹은 지금에 이르러서 절벽 앞에 서 있는 걸지도 모른다. 만약 그렇다면 무너지는 순간 나는 어떻게 고모를 위로해야할까. 이젠 고모가 나를 의지할 수 있도록 마음을 단단히 먹어야겠다는 생각이 들었다.

"니 할머니 뭐 좋아하는지 아나?"

수속을 기다리며 커피를 홀짝이고 있자 고모가 물었다.

"회랑 해삼, 그리고 전병? 근데 좋아하시던 게 많아서 정확히 짚기가 어렵네요."

고모가 작게 웃음을 터트렸다.

"뭐고, 먹는 거박에 안 떠오르나. 그치, 할머니가 식성이 참 좋았지"

고모는 생각에 잠긴 듯 먼 곳에 시선을 두며 말했다.

"마당에 화분 많더라 아이가, 그게 왜 그렇게 많겠노"

다른 집보다 유독 화분이 많긴 했다. 하지만 그 이유는 몰랐다.

"글쎄요? 생각해 본 적이 없네요"

"할머니는 꽃을 좋아한다."

그 말에 어느 날 방에 들어와서 꽃이 예쁘게 폈으니, 마당에 나와 한번 보라고 즐겁게 말하던 할머니의 모습이 떠올랐다.

"니 할머니 참 소녀 같은 감성을 가졌던 사람이다. 몰랐제?"

그때는 늘 보던 꽃인데 무엇이 그렇게 즐거운지 몰랐다. 마지못해 시큰둥하게 나가서 꽃을 보는 척하며 다시 방에 들어갔었던 적이 있었다. 그때 꽃을 보면서 예쁘다고 같이 공감해 줬더라면 좋았을 텐데, 그 간단한 걸 하지 못했다. 그만큼 가족으로써 애정 어린 관심과 사랑을 줬던 기억이 없었다. 받기만 했던 사랑이, 그 사실이 시리게 다가왔다.

"근데 꽃보다 더 좋아하는 거는 여행가는 기다."

평소에는 매일 집안에서 텔레비전으로 드라마 보는 게 할머니의 낙이라고 생각했다. 하지만 그게 아니었다. 고모가 말하는 할머니의 성향이 모두 낯설었다. 무관심했던 과거들이 죄스러워서 입을 뗄 수 없었다.

"환아, 혹시 후회하고 있나? 지금 고모도 그렇다"

그 한마디에 숙였던 고개를 들고는 고모를 바라봤다. 눈을 마주치자 말을 이었다.

"지금 많이 후회해라. 이때 아니면 언제 이렇게 후회하겠노."

"정말 많이 후회되네요."

"나중에 사랑하는 사람이 생기거든 지금 후회한 만큼 사랑을 주면 된다. 아낌없는 사랑 주면서 예쁜 가정 꾸려라. 그게 효도 아니겠나."

고모가 한 말 중에 후회한 만큼 사랑을 주라는 말이 좋았다. 아니면 그 문장에 의지하려는 걸지도 모르겠다.

"비록 이승에는 없지만 저승에서 할머니가 환이 사는 거 보러 가지 않겠나. 그때 예쁜 가정을 꾸리고 잘 사는 모습 보면 아주 좋아할걸?"

"고모는 저보다 더 힘들 텐데 괜찮아요?"

"와, 걱정되나? 니 친할아버지 먼저 보낼 때 아주 힘들었었지, 부모를 떠나보내는 게 두 번째라 그런갑다."

멋쩍게 웃으면서 나의 등을 토닥여줬다. 나는 이렇게 의지할 데라도 있지만 고모는 정말 괜찮은 걸까. 의지할 수 있는 부모가 떠나버렸다. 세상에서 유일하게 기댈 수 있는 거목이 부러졌다. 혼자 풍파를 버텨야 하는 그 무게가 가늠되지 않았다. 걱정스러운 마음이 들었다. 그때 장례지도사가 와서 할머니 화장 준비가 끝났으니, 화장로로 운구해야 한다고 전했다. 고모와 나는 이송 준비된 할머니의 관 옆에 다가섰고 같이 화장로 입구 쪽으로 이동했다. 이동하는 과정에 맞은편에서는 여러 관이 새로 들어오고 있었다. 뉴스에서 봤던 내용 중에 코로나로 인해 사망자 수가 증가하고 있다던 내용이 떠올랐다. 할머니 또한 코로나 때문에 수술이 늦어진 것이 하나의 원인이기도 했다. 착잡한 마음이 원망으로 변해갈 때쯤 화장로 앞에 도착했다. 그 앞에서 할머니에게 마지막 인사할 시간을 가졌다. 처음 건물 안에 들어서자마자 보았던 장면이 떠올랐다. 바로 지금처럼 화장로 입구 쪽에 관이 있었고 그 앞에 있던 한 사람이 매섭게 울부짖었었다.

"엄마……. 엄……마…….”

고모가 한 손으로 관을 쓸어내리면서 차분히 말했다. 하지만 점차 목소리가 떨려오더니 시간이지날수록 울분으로 변해갔다. 결국 냉정을 유지했던 고모는 아까 다른 사람이 질렀던 비명처럼 매섭게 소리를 질렀다.

"이렇게 보내기 싫다! 너무 갑작스럽다 아이가! 엄마아!”

옆에서 한순간에 무너져 내리는 모습을 보니 마음이 아려왔다.

"고모…….”

속에서부터 쥐어짜듯 올라오는 슬픔이 고통이 되어 몸서리치게 했다. 하지만 이 모든 감정이 의미 없었다. 현실이 바뀌는 게 아니니까. 고모는 한참 동안 손으로 관을 쓸어내리며 할머니를 그리워했다. 인사할 수 있는 시간이 끝나자, 화장로 문이 열렸고 할머니의 관이 이송되었다. 고모는 안쪽까지 따라갈 듯 달려갔지만, 장례지도사가 그 앞을 막아섰다. 화장로의 문이 닫히는 순간까지 지금의 현실을 부정하고 싶었다. 영화 속 영웅처럼 할머니가 관을 뚫고 곁에 와주길 바랐다. 그래, 희망이 이렇게 덧없다. 결국 화장로의 문이 닫혔고 장례지도사의 안내에 따라 관망실로 이동했다. 관망실에 모니터가 있었고 그 화면에는 한 장소가 계속 나오고 있었다. 고모와 같이 좌석에 앉아서 그 화면을 지켜보고 있으니, 아래에서부터 할머니의 관이 나타나기 시작했다. 그 관은 천천히 이동하더니 화면 가운데에 놓였다. 곧이어 주변으로 작은 불길이 타오르다가 삽시간에 관을 뒤덮을 정도로 거세지기 시작했다. 그 순간 고모는 한 번 더 크게 울부짖었다.

"어……엄마아아!"

나의 감정도 불타서 재가 되어가는 듯했다. 화면은 화장 중이라는 글로 바뀌면서 붉게 점등되었고 나는 고개를 숙인 채 할머니를 연거푸 외쳤다. 철부지처럼 속 썩였던 여러 장면이 주마등처럼 지나갔다. 마지막까지 효도다운 효도를 한 적이 없었고 평소에 연락을 자주 할 수 있었음에도 귀찮고 힘들다는 핑계로 외면했다. 온갖 투정을 부려도 할머니는 나를 위하는 말을 해줬었다. 부드럽게 말하던 그 음성이 귓가에 맴돌았다. 아직 할머니의 목소리가 생생했다. 하지만 지금 눈앞의 현실과 괴리감이 너무나 컸다.

오랜 시간이 흘러 화장 끝났고 이어 수골되는 과정이 나왔다. 그것을 본 장례지도사는 우리를 수골실로 인솔했다. 수골실에 도착하니 어느 부위의 것인지 알 수 없을 만큼 잘게 분해된 뼛가루들이 유골함에 담기고 있었다. 처음 봤을 때는 저 뼛가루들이 할머니의 것인지 몰랐다. 유골함 앞에 놓인 이름을 보고 나서야 할머니의 것이라는 걸 알았다.

"환아 봐라……. 할머니가 저렇게 작아졌다."

고모는 눈에 눈물이 가득한 채로 할머니의 유골을 바라보았다. 뼛가루를 옮겨 담던 직원이 마무리 작업을 하고는 유골함을 내게 건넸다. 나는 조심스레 유골함을 두 손으로 들고 안내에 따라 밖으로 나갔다. 손에 들린 유골함은 사람 머리 정도로 크기가 작았다. 무게마저도 가벼웠다. 내가 기억하는 할머니의 모습과 달랐다. 현실과 동떨어지는 느낌이 적응되지 않았다. 가슴이 문드러지듯 미어져 왔고 한숨으로 답답함을 계속 토해냈다. 가만히 서서 이질감을 곱씹고 있는 순간에 눈앞의 낙엽이 흩날렸다. 마치 삶을 형상화한 듯 힘없이 나풀거렸다.

"덧없다……."

모든 것은 순리대로 흐른다고 했던가. 높게 날아봐야 결국 바닥에 떨어지는 건 매한가지였다. 그간 노력해 왔던 것이 미련해 보였다.

"그렇제, 열심히 살아봐야 결국 결과는 다 똑같다 아이가"

당연한 것을 소중히 여기지 못한 죄가 너무나 컸다.

할머니가 무엇을 좋아하는지 한 번 물어보지도 않았고,

할머니께 사랑한다는 말을 한 번 하지 않았다.

우리 할머니는 꽃을 좋아한단다.

우리 할머니는 꽃보다는 여행을 더 좋아한단다.

늘 집에 있으면서 집에만 있는 모습만 봐왔기에 성향이 그러한 줄 알았다.

이걸 알았더라면, 같이 여행을 다니면서 꽃도 보고 했을 텐데.


의미 없는 반성을 하며 하늘을 보았다. 할머니가 올라갈 길은 맑게 푸르렀다. 군데군데 퍼진 구름은 할머니가 오르기 힘들까 봐 딛고 올라설 계단처럼 보였다. 하늘에서 환영하는 듯 한 날씨였다.

"할머니 사랑해요……."

생전에 전하지 못한 진심이었다. 이 말 한마디에 쓸쓸한 마음에 온기를 더하길 바랐고 올라가는 길은 따뜻하길 바랐다.

# 모모

김토실

**김토실**  인생 좌우명이 뭐냐고 물으면 "사랑스럽게, 사람답게"라고 말해요. '결국 봄'의 노랫말과 '질투는 나의 힘'이라는 시를 좋아하고 '공중그네'와 '도쿄기담집'이라는 소설책을 좋아합니다. 그리고 무엇보다 이들을 좋아하는 저 자신을 좋아합니다.

블로그: https://blog.naver.com/kim-tosil

그날 내가 모모와 대화를 한 곳은 버스 정류장이었다.

그날은 모모가 처음으로 내게 말을 건 날이기도 하다. 모모는 나의 묘한 직장 동료였다. 내가 다니는 회사는 열 몇 명이 함께 일하는 공간이고 각자 맡은 업무를 각자 책임지고 진행하는 곳이다. 그래서 몇 달 동안 서로 말 몇 마디 안 하고 지내는 동료 사이도 있었는데 모모와 내가 딱 그런 동료 사이였다. 그래도 자리는 꽤 가까워서 출근할 때나 퇴근할 때 인사만은 꼬박꼬박하는 편이었다. 또래가 별로 없는 회사에서 또래처럼 보이는 모모에게 괜한 흥미를 갖고 있던 나는 종종 날씨가 참 좋다든지 하는 시답잖은 말을 걸곤 했다. 내 시답잖은 말을 들은 모모는

"아, 그러네요."

하며 고개를 살짝 들어 창가를 바라보거나 오른손으로 자기 머리를 긁적이곤 했다. 모모가 먼저 내게 말을 건 적은 없었다. 좀 뻘쭘하긴 하지만, 뭐 그런 사람인가보다 했다. 모모는 평소에 회식이라든지 직장 동료 간의 모임이 잡히는 날이면 어떻게 미리 아는지 퇴근 시간

이 되자마자 슬쩍 사라지는 걸 잘하는 사람이어서 회사 밖에서 어울린 적도 거의 없었다. 언젠가 회식이 점심에 잡혀서 냉면을 같이 먹은 적이 있는데, 냉면 위에 뿌려진 깨를 다 들어내고 먹던 모습이 어렴풋한 기억으로 남아 있다. 자기는 깨를 아예 안 먹는다고 했었다. 암튼, 그렇게 말도 잘 안 하고 잘 어울리지도 않는데도 모모를 싫어하는 직장 동료는 나를 포함해 아무도 없었다. 똑 부러지게 일을 잘하기도 했고 언제나 웃는 얼굴로 인사를 받아주기도 하지만, 내가 보기에 무엇보다 모모에겐 뭔가 말로 할 수 없는 묘한 게 있었다.

하늘이 하늘색이었던 어느 초여름날, 볼일이 있어 잠깐 회사에 들렀던 어느 일요일이었다. 나는 길을 걷다 내 안부를 묻는 사람을 우연히 만났다.

"저기, 인상이 참 좋으시네요."

나는 길 가다 이런 분들을 꽤 자주 만나는 편이다. 그럴 때마다 이분들의 이야기를 흥미로운 척 듣는다. 어떤 때는 내 관상을 좋게 봐주며 나의 미래에 대해 이야기해 주던 분에게 작은 성의 표시로나마 근처 슈퍼에서 샴푸를 하나 사드린 적도 있다. 그날의 나는 걷던 길 그대로 우두커니 서서 미술 상담을 받았다. 내가 살고 싶은 집 한 채도 그리고, 비 오는 날의 내 모습도 그렸다. 내가 살고 싶은 집에는 강아지 한 마리가 나와 함께 있고, 비 오는 날의 나는 활짝 웃으며 우산 없이 온 동네방네를 뛰어다니고 있다. 내 첫인상을 좋게 봐주신 그 분이 내가 그린 그림에 대한 이야기를 더 하고 싶다며 내 연락처를 물어보신 그

때, 핸드폰이 없는 척을 해야 하나 고민하고 있던 찰나였다. 모모에게 문자가 왔다. '지금 어디예요?' 나는 회사 근처 사거리라고 답장을 보냈다. 멋쩍은 척 웃으며 번호 교환을 거부하고 몇 걸음 걸어가니 또 답장이 왔다. '왜 거기 있으세요?' 나는 잠깐 볼일이 있어서 회사를 들렀다고 했다. 문자를 적으며, 무슨 일이 있나 싶은 마음과 함께 신비로운 흥미가 생겼다. 모모가 나한테 연락을 다 하다니. 근데 문자도 참 짧네. 핸드폰을 확인하며 걸음을 옮겨 사거리 대로변 횡단보도 앞에 서서 초록 불이 되길 기다렸다. 그때 문자가 왔고 신호등은 초록 불로 바뀌었다.

'지금 저 아이스크림 하나만 사주세요.'


나는 모모가 있다는 길 건너 사거리 대로변에 있는 버스 정류장으로 갔다. 모모는 평소와 같은 모습으로 거기 있었다. 구부정한 어깨와 곱슬기가 있는 단발머리. 항상 매고 다니는, 콧물 흘리는 고양이 인형이 달린 백팩. 그리고 왠지 장난기 서린 눈빛으로 핸드폰 화면을 보고 있었다. 이날 평소와 다른 거라곤 내가 모모와 대화를 하고 있다는 것뿐이었다. 나는 모모가 마냥 단답만 하는 사람은 아니라는 새로운 사실을 알게 돼서 기뻤다.

큰길 대로를 건너다보이는 편의점으로 아이스크림을 사러 우리는 갔다. 모모는 내가 편의점 안을 다 둘러보고 창밖으로 보이는 신호등이 5번 초록 불로 바뀌는 동안 아이스크림을 골랐다. '혹시 먹고 싶은 게 여기 없으면 다른 데로 갈까요?'라고 할 뻔할 즈음 둘로 나눠 먹는 초코바를 모모가 골랐다. 모모는 초코바를 둘로 정확히 나눠 양손에 들고 왼쪽 오른쪽을 번갈아 보다가 나한테 살짝 시선을 준 뒤 오른손에 있는 초코바부터 씹어 먹었다. 갑자기 왜 아이스크림을 사달라고 했는지 물어보진 않았다. 그게 그렇게 중요한 건 아니었으므로. 나는 모모에게 집 가는 버스를 같이 기다려주겠다고 말했다. 그러면서 아까 만났던 버스 정류장으로 우리는 돌아갔다.

모모는 집에 갈 때 항상 여기서 버스를 탄다고 했다. 오늘은 잠깐 근처에 볼일이 있어서 왔다고 했다. 무슨 볼일인지는 말해주지 않았다. 여기서 집 방향으로 가는 버스는 십오 분에 한 번씩 온다고 했다. 모모는 아이스크림을 다 먹고 남은 막대를 자기 바지 주머니에 넣었다. 버스를 기다리며 우리는 여러 이야기를 나눴다. 날씨가 변덕인 건 기후 위기가 심해져서 그렇다는 이야기, 매주 한글을 가르치는 봉사활동을 하고 있다는 이야기, 집 근처 길고양이들에게 매일 밥을 주고 있다는 이야기, 아침마다 눈 뜨는 게 어려워서 누가 모닝콜 좀 해줬으면 좋겠다는 이야기 따위. 시시콜콜한 이야기를 떠들며 모모는 평소와 다른 여러 가지 표정을 보이곤 했다.

그러다 '어디까지 사랑할 수 있나'라는 주제로 이야기를 나누게 되었다.

나는 모모에게 물었다. "약속 시간 5분 전에 갑자기 약속을 깨는 사람을 사랑할 수 있어요?" 모모는 고민할 것도 없다는 듯이 그렇다고 했다. 그 사람에겐 분명히 약속을 깰 수밖에 없는 피치 못 할 사정이 있었을 거라고, 그래서 그 사람을 사랑하지 못할 이유가 하나도 없다고. 사람을 너무 간단히 믿는 거 아니냐는 나의 대꾸에 자신이 약속을 잡은 사람이라면 분명히 깰 때도 어쩔 수 없는 사정이 있을 것이라고 말하는 모모.

'저, 사람 보는 눈이 있는 편이에요'라고 눈을 반짝이며 모모는 말했다.

다음으로 나는 모모에게 물었다. "내가 먼저 맡은 자리를 원래 자기 자리였다고 우기는 사람을 사랑할 수 있어요?" 모모는 그렇다고 했다. 내가 몰랐을 뿐이지 그 사람이 그 자리를 자기 자리라고 주장하는 근거가 있을 수도 있다고, 그리고 그 사람이 그 자리를 몹시 원하면 차라리 자리를 내어주는 게 속이 편하다고. 그래서 그 사람을 사랑하지 못할 이유가 하나도 없다고. 사랑하지 못할 이유가 없는 거랑 사랑하는 건 다른 거 아니냐는 나의 대꾸에, 그런가 하며 양 입술 끝에 힘을 주고 당겨 올리며 보조개를 만드는 모모.

"저는 웬만하면 다 사랑하고 싶은데요."

또 나는 모모에게 물었다.

"내 전 재산을 털어 달아난 사람을 사랑할 수 있어요?" 모모는 미간을 찌푸렸다. 그리고 잠시 후 그렇다고 했다. 돈이란 있다가도 없고 없다가도 있는 것이라, 갖고 있는 것만으론 큰 의미가 없다고. 더구나 달아나 줬으니 그나마 다행이라며, 나는 그 돈이며 그 사람에게 어떠한 반격도 못 하니까 깨끗하게 포기할 수 있어서 오히려 좋다고. 그래서 그 사람도 사랑하지 못할 이유가 없다고 모모는 말했다. "전 재산 털어가면 사랑하기 쪼끔 힘들 것 같긴 한데⋯."라고 덧붙이는 모모. 전

재산 도둑질에 살짝 흔들리는 모습을 보이는 모모에게 나는 물었다. 돈을 중요하게 생각하나 봐요. 돈이 없으면 불편한 게 많더라고요, 라고 모모는 말했다.

"그래도 결국 돈은 수단일 뿐이니까. 계속 사랑하는 게 낫죠."

잠시만요, 모모는 백팩을 앞으로 돌려매고 가방 앞주머니를 뒤적였다. 그리고 뭔가를 꺼냈다. 고양이 간식 츄르다. 입에 짜장 얼룩이 있는 고양이 한 마리가 정류장 뒤쪽 인도에 설치된 화단 안에서 식빵을 굽고 있었다. 모모가 왼손으로 츄르를 흔들며 고양이에게 다가가자, 짜장 고양이도 모모에게 어슬렁어슬렁 다가왔다. 모모는 바닥에 츄르를 짜주고 살짝 떨어져 고양이를 지켜봤다. 나는 가방에서 텀블러를 꺼내 텀블러 뚜껑에 물을 따라서 츄르 근처에 놓았다. 고양이를 키우냐는 모모의 질문에 나는 혼자 살아서, 내가 일 나갔을 때 집에 혼자 두는 게 미안해서 못 키운다고 답했다. 모모는 살짝 고개를 끄덕이며 그럴 수 있겠다고, 그것도 사랑이라고 말했다. 츄르를 할짝대던 고양이가 우리 근처로 와서 배를 보이고 발라당 누워 몸을 옆으로 데굴데굴 굴렸다. 잘 먹었다는 표시일까? 그 뒤로도 버스는 여러 대 지나갔지만 모모가 탈 버스는 오지 않았다.


"나의 사랑을 배신한 사람을 사랑할 수 있어요?"

내가 모모에게 질문했다. 그러니까, 내 사랑을 알아봐 주지 않는, 나의 사랑은 사랑이 아니라고 말하는 사람이요. 무엇이든 사랑할 수 있다고 말하는 모모를 흔들고 싶었다. 모모는 크게 숨을 들이마시고 마신 숨을 입으로 크게 내쉬었다. 모모가 말했다.

"사랑할 수 있어요. 미울 수도 있겠죠, 내 마음을 몰라주니까. 뭐, 아쉽겠죠. 나의 사랑을 알아봐 주지 않았으니까. 근데, 결국 그 또한 내 마음, 내 사랑일 뿐이에요. 그 사람의 마음과 나의 마음이 포개지지 않았을 뿐, 그 사람이 그 사람대로 사랑스럽다는 건 여전해요. 내 사랑도 전혀 모나지지 않죠. 그래서 나의 사랑은 결코 배신당하지 않아요. 나는 여전히 사랑할 수 있어요."

미소를 머금은 모모의 뒤로 해가 뉘엿뉘엿 지고 있었다. 마지막으로 나는 모모에게 물었다. "그럼 아끼던 자전거를 훔쳐 간 사람은요?" 모모는 어이없다는 듯이, 한국에서 자전거 훔쳐 가는 건 당연한 거라며, 그거 갖고 사랑하네마네하면 한국에 못 산다고 말했다. 나는 고개를 끄덕였다.


여기가 아닌가 봐요. 왠지 기다리던 버스가 몇 시간이 지나도 안 오더라니 이 버스 정류장이 아닌 것 같다고 모모는 말했다. 지금 있는 곳에서 앞으로 쭉 가다 오른쪽으로 돌아 있는 버스 정류장이라고. 우리는 천천히 걸음을 옮겼다. 다른 버스 정류장으로 가며 나는 모모에게 말했다. '회식도 맨날 빠지고 말 걸어도 별로 반응이 없길래 어려운 사람이라는 느낌이 있었는데 오늘 이야기해 보니까 전혀 아닌 것 같아요. 고양이 좋아하는 사람 중에 나쁜 사람 없잖아요? 모모는 좋은 사람인 것 같아요. 그리고 회사든 밖이든 항상 자기 자신으로 존재하는 것 같아서 멋있어요'라고. 모모는 오른손으로 자기 머리를 긁적였다.

아무 말 않고 몇 걸음 걷다가 모모가 나에게 말했다. 자기는 원래 이름이 모모가 아니라고, 원래 이름은 춘춘이라고. 학교 졸업하면서 바꿨다고 했다. 왜 바꿨냐고 물었더니 그냥 그때 바꾸고 싶었고 엄마가 골라준 이름이 뜻이 좋아서 바꿨다고 했다. 무슨 뜻이냐고 물었더니 맞춰보라며 빙긋 웃고 말았다. 모퉁이를 돌자 버스 정류장이 보였다. 큰길 교차로에 버스 여러 대가 신호를 기다리고 있는 게 보였다. 신호가 바뀌고 버스들이 움직이기 시작했다. 그때, 모모가 나에게 물었다.

"갑자기 연락해서 아이스크림 사달라고 하는 사람은요? 그런 사람도 당연히 사랑할 수 있겠죠?"

그때 모모가 타야 하는 버스가 우리가 가는 버스 정류장으로 들어오는 게 보였다. 모모는 서둘러 버스 정류장으로 달려갔고 엉겁결에 나도 모모를 따라 버스 정류장으로 달려갔다. 다행히 그 버스를 타려는 사람이 많아 버스가 생각보다 오래 정차해 있었기 때문에 모모는 무사히 버스를 타고 떠났고 나는 그 자리에 우두커니 서서 떠나는 버스를 잠시 바라보았다.

# 흑백 시간 속 잠든 엄마에게

이진선

**이진선**　커피로 하루를 시작해, 술로 하루를 마무리한다. 걷고 또 걷는 것을 좋아하고, 드라마를 즐겨본다. 쉼이 필요한 순간 고개를 들어 하늘을 바라보고, 매일 보는 풍경에도 연신 사진을 찍는다.

주도적으로 인생을 설계하지만 때로는 누군가가 나를 위해 결정해 주길 바라는 날들이 있고, 꾸준히 치열한 삶을 열망하지만 꾸준히 게으르다. 땀은 흘리지만 더위에 무디고, 손발은 차지만 추위에 둔하다.

아홉 살에 엄마를 떠나보낸 후 그리움마저 잊은 채 어제와 같은 오늘을 살아가지만, 엄마의 취향과 꼭 닮은 나만의 취향으로 애정하는 시공간을 채우며, 언제나 살아가는 여행을 꿈꾸는 일상 여행가.

인스타그램: @slow_couple

## 1996년 추운 겨울이 오기 전, 엄마가 떠났다.

엄마는 아침 일찍부터 분주하게 움직였다. 첫째 언니 방 책상을 거실로 빼고, 침대를 이리저리 여러 번 옮겼다. 구석 모퉁이 자리가 좋을지, 아니면 창문 옆 햇살이 비추는 곳이 좋을지를 고민하며 방의 구조를 바꿔나갔다. 해가 서서히 지고 노을빛으로 세상이 물들 때쯤, 엄마는 하던 일을 마무리했다.

언니의 방 구조를 마음에 쏙 들도록 바꾼 엄마가 샤워 후 개운함을 만끽하는 것도 잠시, 평소 말만 잘 듣던 내가 고집을 피우기 시작했다. 엄마는 하루 종일 에너지를 소모한 탓에 일찍 잠자리에 들 생각이었지만, 나는 너무 씻기 싫어서 엄마에게 투정을 부렸다. 언니 방을 함께 정리하느라 땀도 흘리고 먼지도 묻었을 텐데 그대로 누워 잠들고 싶었다. 사실 나는 엄마 옆에서 쓰레기를 치우는 등 잔심부름만 했기 때문에 고단할 게 하나 없었지만, 씻지 않을 좋은 핑계라고 생각했다.

이렇게 요령을 피우는 나를 가만둘 엄마가 아니었다. 씻고 오면 오늘 밤 안방 침대에서 TV를 보며 함께 잠들고, 내일 내가 좋아하는 맛있는 음식을 해주겠다고 했다. 하지만 살다 보면 억지인 것을 알면서도 어리석게 물러서고 싶지 않은 순간이 있지 않나. 엄마가 나를 달래려고 달콤한 사탕을 줄 때마다 사탕의 달콤함 만큼 씻기 싫다는 의사를 강력히 표현했다.

TV 따위 보지 않아도 된다며 문을 쾅 닫고 방으로 들어가는 순간, 생각보다 큰 소리에 아차 싶었다. 하지만 내일 일어나면 엄마에게, 어제는 죄송했고 앞으로는 잘 씻겠다고 말하며 꼬옥 안겨 애교를 피울 참이었다. 별다른 방법이 없자 엄마도 결국 포기했고, 굳게 닫힌 방문을 뒤로 한 채 잠자리에 들었다.


새벽 다섯 시, 아빠가 곤히 자고 있는 나를 흔들어 깨웠다. 아홉 살 인생, 처음 느껴보는 아빠의 거친 손길에 두 눈을 번쩍 떴다. 서둘러 누군가와 통화하는 아빠 등 뒤로 짙은 어둠이 깔리고, 그 어둠 속의 공기는 매우 싸늘했다. 적막한 방에서 시선이 닿은 한 곳. 꿈인가? 꿈속인 게 분명해.

119에 신고하고 구급대원을 기다리는 동안 아빠는 엄마에게 인공호흡을 했다. 그런데 인공호흡을 하면 할수록 엄마의 배가 부풀어 올랐다. 다급한 목소리로 구급대원에게 상황을 설명하니, 칼로 손을 베어보라고 했다. 혈액순환이 되지 않았던 탓일까, 엄마의 손에서 피가 나오지 않았다.

우왕좌왕 응급처치를 하던 중, 혈색 하나 없는 엄마의 뺨 위로 눈물이 흘렀다. 아빠는 포기하지 않고 최선을 다해 심폐소생술을 계속했다. 그저 바라볼 수밖에 없는 무력감과 절망감이 짙은 어둠만큼 몰려왔다. 같은 시공간에 우두커니 서 있을 뿐, 더 이상 할 수 있는 것은 아무것도 없었다.

몇십 분이 지나 구급대원이 도착했다. 구급대원 두 명은 들것에 엄마를 눕히고 빠르게 대문을 나섰지만, 엘리베이터가 좁아 계단으로 겨우 내려갔다. 시간의 흐름이 멈춘 듯, 한 시간 같은 십 분이었다. 엄마를 태운 구급차가 떠나고, 길고 긴 기다림이 시작되었다.

새벽어둠이 사라지고 해가 떠오르자, 친척 몇 분이 집에 오셨다. 그 중 한 분은 어젯밤 엄마가 입고 잠들었던 옷가지를 챙겨 병원으로 갔다. 엄마가 깨어난 걸까? 옷을 챙겨가는 모습에 한껏 기대에 부풀었다. 하지만 삼삼오오 모여 소곤거리는 소리에, 나와 언니들을 눈치 보며 쳐다보는 초조한 눈빛에, 이내 아니라는 것을 깨달았다.

1996년 추운 겨울이 오기 전, 엄마가 떠났다.

언니들과 나는 조용히 방에 들어가 책상 서랍에 있던 이어폰을 꺼내 노래를 들었다. 흐르는 눈물을 꾹 참으며 직면한 현실을 외면했다. 회피하고 싶은 마음을 다해 숨은 도피처였고, 꿈이라면 한시라도 빨리 깨고 싶은 악몽이었다.

해가 중천에 떴다. 눈이 벌겋게 충혈된 아빠는 새벽까지 엄마가 주무시고 계셨던 안방으로 우리를 불렀고, 조용히 문을 닫았다. 아빠는 고개를 떨구며 힘겹게 입을 뗐다. 이런저런 상황을 설명해 주셨지만, 첫 마디를 끝으로 아빠의 말씀은 잘 기억나지 않는다. 조용한 절망이 방 안에 가득했고, 처음 보는 아빠의 눈물만이 방 안에 흐르는 유일한 소리가 되었다.

길고 길었던 반나절의 기다림은 끝이 났고, 식탁 위 하얀 국화꽃만이 덩그러니 공간을 채웠다. 혈색 하나 없는 뺨 위로 흐르는 눈물, 식탁에 놓인 하얀 국화꽃. 엄마는 혹시 우리와의 이별을 알고 있었을까.

나는 나이에 비해 어른스럽고, 말 잘 듣는 착한 막내딸이었다. 그런데 엄마와의 마지막 대화가 고작 씻기 싫어 떼쓰는 거라니 억울했다. 엄마가 바쁘게 집안일을 하면 먼저 나서서 일을 돕고, 식사 시간에는 반찬 투정 없이 밥도 잘 먹으며, 씻으라고 말하기 전에 알아서 척척 이 닦고 머리 감는, 아홉 살 답지 않은 철이 아주 일찍 든 보기 드문 딸이었다. 그런데 왜 하필 엄마가 떠나기 전날 밤 엄마의 속을 썩였을까.

아홉 살은 아홉 살이었던 나는 시간이 지나 곱씹으면 곱씹을수록 그날이 후회스럽다. 엄마는 나를 어떤 딸로 기억하고 있을까. 이제는 죄송하다고 사과할 대상조차 사라져 내 잘못만이 남았고, 이 사실이 나를 두고두고 아프게 한다.


황금빛으로 물든 1996년 어느 가을날, 볕은 따사롭고 싱그러운 공기가 한가득했다. 그해 봄, 피아노 대회 때 찍은 사진기 필름이 남아 가을 풍경과 함께 추억을 남기고자 엄마와 손을 잡고 아파트 뒷산으로 향했다.

우리는 나무 그늘에 앉아 도란도란 이야기를 주고받으며 즐거운 시간을 보냈다. 나뭇잎 사이로 따스한 햇볕이 얼굴에 가볍게 비치고, 우리들의 웃음소리는 가을바람에 실어 보냈다. 낙엽이 바람에 스치며 떨어지던 그날, 엄마와 함께한 마지막 가을이었다.

영정 사진은 엄마의 마지막 가을날, 환하게 웃고 찍은 사진으로 하고 싶었다. 그런데 사진을 확대해 보니 픽셀이 깨지고, 눈동자 초점이 없어 사용할 수 없었다. 결국 엄마가 이십 대에 찍은 무표정의 흑백 사진을 영정 사진으로 사용했다. 현대 기술이 그때도 있었다면 어땠을까. 그랬다면 엄마가 좀 더 밝은 모습으로, 엄마를 추모하는 모든 이들과 이별할 수 있었을 것이다.

서른여덟 살, 흑백 시간 속 영원히 잠길 엄마의 인생이 안타까워 마지막 엄마의 모습을 두 눈과 마음에 새기고 또 새겼다. 정신없이 삼일이 지났고, 향 연기가 자욱한 무거운 침묵 속에 발인 절차가 시작되었다. 마지막으로 피운 향 연기는 마치, 하늘로 올라가는 영혼처럼 천천히 빈소 주변을 감싸며 퍼져나갔다.

엄마는 살아생전, 자신의 젊은 날을 함께하지 못한 내게 항상 미안해했고, 나이에 비해 어른스러웠던 나를 매우 안쓰러워했다. 엄마가 내게 미안해했던 마음을 모두 털어버리고, 철없던 마지막 내 모습은 잊길 바라며 기꺼이 영정 사진을 들고 긴 행렬을 앞장섰다. 상복 차림의 어린 여자아이가 영정 사진을 들고 걸어가는 낯선 풍경에 저마다 숙연한 마음으로 길을 양보해 주었고, 나는 그저 멍한 표정으로 앞만 보고 걸어갔다.

장례식장에서 출발하여 며칠 전까지 함께 웃고 떠들었던 아파트 단지를 지나 근처 동네 한 바퀴를 돌았다. 최대한 천천히 한 발 한 발 내디디며 엄마와의 이별을 준비했고, 가는 곳곳마다 슬픔의 진한 향냄새가 가득했다. 그렇게 엄마의 시간이 흑백으로 물들었다.

이생과 이별하는 엄마에게도 충분한 시간이었을까.

## 커피믹스, 빨간 장미 그리고 맥주

아침 햇살이 창으로 스며든다. 졸린 눈을 비비며 부엌으로 간 엄마는 작은 종이컵에 커피믹스를 탄다. 의자에 앉을 새 없이 싱크대 앞에서 휘휘 두세 번 저은 뒤, 뜨거운 커피를 호로록 마신다. 진한 커피 향이 하루의 시작을 알린다. 집을 간단히 청소하고 빨래를 돌린 뒤, 장을 보러 시장에 간다. 시장에서 가족들과 함께 먹을 음식 재료를 사 들고 집으로 돌아가는 길, 길가에 있는 작은 꽃집에 눈길이 간다. 빨간 장미열 송이가 하얀 안개꽃과 어울려 향기로움을 뽐낸다. 잠시 응시하다이내 양손에 든 짐을 번갈아 쳐다보고 발길을 돌린다. 시장에서 산 재료로 맛있는 저녁을 해 먹고 설거지까지 끝낸 엄마는, 샤워하고 나와냉장고 문을 열어 맥주를 꺼낸다. 지친 몸을 소파에 기대어 TV를 켠뒤, 시원한 맥주를 벌컥벌컥 마신다. 작지만 소중한 순간들이 모여 엄마의 시공간을 채운다.

커피믹스, 빨간 장미 그리고 맥주, 내가 기억하는 엄마의 일상, 엄마의 취향이다.

소소한 취향을 갖고 있는 엄마의 일상이 좋았다. 현실에 매이지 않고 가끔은 감성적으로 삶을 바라보는 엄마의 낭만이 좋았고, 꼭 큰일은 아니더라도 위로가 필요한 순간, 시원한 맥주 한잔으로 자신의 마음을 어루만지는 엄마의 삶의 태도가 좋았다. 엄마의 취향으로 가득 채운 엄마의 일상은 무리 없이 편안한 마음으로 살아가는 어른의 삶 같았다.

과거에 비해 카페라테, 캐러멜마키아토 등 달콤하고 맛있는 커피의 종류가 다양해졌고, 전 세계 인기 있는 맥주를 어디에서나 사 먹을 수 있는 시대가 되었다. 엄마가 좋아했던 맛있는 커피와 술, 그리고 낭만까지 함께하지 못해 너무 아쉽지만, 우리 가족은 신메뉴 커피와 신상 맥주를 제사상에 올리고, 산소에는 빨간 장미 한 다발을 사 간다. 엄마를 만나는 날이면, 함께하지 못해 아쉬운 마음만큼 엄마의 취향으로 가득 채운다.

아홉 살이었던 나는 어느덧 서른을 훌쩍 넘어 엄마의 취향을 따라 나의 시공간을 채운다. 졸린 눈을 비비며 커피를 마셨던 순간, 바쁜 일상에서 빨간 장미를 바라보며 낭만을 즐겼던 순간, 하루 종일 고단했을 엄마가 위로주로 맥주를 마셨던 순간 모두, 엄마의 취향이 곧 나의 취향이 되었다.

고요한 새벽 붉은빛이 하늘을 뒤덮어 어둠과 빛의 경계에 다다르면, 나는 집을 나와 지하철을 한 번 갈아타고 회사에 출근한다. 자리에 앉아 컴퓨터를 켜자마자 커피 한잔을 마신다. 일을 하다 막히는 구간이 생길 때면 고개를 돌려 푸른 하늘을 보고, 매일 보는 풍경에도 연신 사진을 찍는다. 아주 잠깐이지만 일상 속 낭만을 즐긴 뒤, 이내 다시 일에 집중한다. 붉은 노을빛이 하늘을 뒤덮어 다시 빛과 어둠의 경계에 다다르면, 동료들과 가볍게 인사를 나누고 지하철을 한 번 갈아타 집으로 간다. 퇴근 후 샤워하고 나와, 집게 핀으로 젖은 머리를 대충 묶은 뒤 소파에 털썩 앉는다. 와인 한 잔과 함께 근래 푹 빠진 드라마를 보며 어제와 같은 오늘 하루를 마무리한다.

이렇게 취향 가득한 하루하루를 살다 보면, 지루하다고 느꼈던 일상의 반복도 어느새 편안함으로 자리 잡는다. 그 편안함은 마치, 엄마가 내게 별 탈 없이 잘살고 있다고 말해주는 것 같아 마음이 한결 가볍고 여유로워진다.

그러나 취향으로 가득 찬 엄마의 일상이, 항상 편안한 어른의 삶처럼만 보였던 것은 아니었다.

## 때론, 지독히 고단해 보였던 엄마의 삶

*짙은 어둠과 하얀 연기가 가득하다. 엄마는 한 치 앞도 보이지 않는 칠흑 같은 어둠을 헤치며 걷고 있다. 그러던 중, 반짝이는 세 개의 머리띠가 엄마의 시선을 사로잡는다. 딸 두 명을 둔 엄마였지만, 세 개의*

*머리띠를 갖고 싶다는 강렬한 이끌림에, 모두 손에 넣고 걸음을 옮긴*
*다. 그 찰나, 엄마는 꿈에서 깼다.*

 나의 태몽은 세 개의 머리띠다. 태몽을 듣는 사람이라면 누구라도
셋째 아이 또한 딸일 것이라 예상했을 것이다. 그러나 엄마는 내가 태
어나기 직전까지 아들이라고 생각했다. 아니, 그렇게 믿고 싶었던 것
같다. 간절함이 크면 눈앞의 현실도 왜곡될 때가 있다. 아들을 꼭 낳았
어야 했던 그 시절, 이미 두 명의 딸을 둔 엄마는 태몽에서 나온 세 개
의 머리띠와는 무관하게 반드시 아들이기를 바랐다.
 그러나 결국 셋째 아이 역시 딸로 태어났고, 이로 인해 어린 시절 나
는, 바가지 모양의 짧은 머리를 유지하며 치마 한번을 입어보지 못했
다. 긴 머리카락을 늘어뜨리고 예쁜 드레스를 입는 언니들이 부러웠
다. 외모상으로 누가 봐도 아들 같았기에 하루빨리 유치원에 입학해
머리를 기르고 치마 원복을 입고 싶었다. 지금은 덕분에 돌 지난 남자
조카가 나를 닮아 우리 가족의 웃음 소재가 되었지만, 당시에는 얼마
나 서운했는지 모른다.
 엄마도 내가 느꼈을 서운함과 아쉬움을 모를 리 없을 테지만, 당시
의 사회적 분위기와 집안 어르신들의 눈총에 달리 방법이 없었을 것
이다. 만약 내가 아들로 태어났다면 엄마의 삶이 좀 더 수월했을까?
아니면 시댁에 방문할 때마다 조금은 떳떳했을까? 딸자식을 아들처럼
키워야 했던 엄마의 마음을 생각하면 가슴이 저린다. 사회적 차별과
편견을 받고, 개인의 의지와 선택이 자유롭지 않았던 그 시절, 엄마는

얼마나 서럽고, 속상했을까.

*

내가 초등학생이 되기 전, 엄마는 천주교 신자가 되기 위해 교리 공부를 시작했다. 교리 공부는 6개월 동안 주 1회 진행되는데, 출근한 아빠와 등교한 언니들이 집에 없는 오전 시간에 참여했다. 교리 시간에 엄마는 어떤 울림에서였는지 매우 진지했고, 또 열심히 했다. 가정주부로 살다 처음으로 본인 의지로 선택한 외부 활동이었기 때문일까? 몰입하는 엄마의 모습이 인상 깊었다.

그런데 세례받기까지 딱 한 달남은 상황에서 불교 신자였던 할아버지의 반대로 엄마의 교리 공부가 끝이 났다. 교리 공부에 진심이었고 무언가에 몰입하던 엄마의 모습이 인상 깊었기에, 끝까지 마무리하지 못한 것이 내내 마음에 걸렸다. 하지만 시간이 지나면 언제든 다시 교리 공부를 하고, 세례를 받을 수 있을 것이라 믿었다. 엄마에게 그런 시간이 허락되지 않을 줄은, 그때는 몰랐다.

몇 해가 흘러 추운 겨울이 오기 전, 향 연기가 자욱한 무거운 침묵 속에 엄마는 세례를 받았다. 엄마의 세례명은 마리아다. 몰입했던 엄마의 시간이 장례식장에서 끝났다는 사실이 서글펐다. 그럼에도 떠나가는 길, 이생에서 꿈꿨던 바를 하나쯤 이뤄 보내드릴 수 있어서 다행이었다.

아빠는 로마노, 첫째 언니는 엄마가 하려고 했던 세례명 수산나, 둘째 언니는 레지나 그리고 나는 베로니카, 엄마가 떠난 후 우리 가족은 천주교 신자가 되었다.

5개월 동안 엄마와 함께 성당을 다녀서일까? 언니들 없이 엄마와 단둘이 보냈던 시간이 소중해서일까? 그것도 아니면 엄마의 희생으로 항상 받기만 했던 우리 가족이, 엄마에게 줄 수 있었던 작고 소박한 마지막 선물이었기 때문일까? 성당은 매우 친숙했고, 따뜻한 엄마의 품과 같았다.

세례를 받고 성당에 다녀보니, 엄마가 천주교 신자가 되고 싶었던 이유를 어렴풋이나마 알 것 같았다. 우리 가족에게 종교는 신이나 초자연적인 힘을 숭배하는 것이 아니라, 하루아침에 떠나보내야 했던 엄마를 우리의 삶 속에 깊이 간직하고 애도하며, 이별을 천천히 받아들이는 과정이었다.

우리가 성당에서 마음의 위로를 받은 것처럼, 그 시대 가정주부, 며느리로서 지독히 고단했던 삶에 지쳐있었던 엄마는 자신의 삶을 토닥토닥 해줄 손길과 힘들 때 기대어 설 수 있는 든든한 버팀목이 필요했던 게 아니었을까.


세상이 참 많이 변했다. 엄마가 지금도 현생을 살고 있다면, 끝내 아들을 낳지 못했다며 눈총받을 일도 없고, 믿고 싶은 종교도 마음껏 믿었을 것이다. 커피믹스, 빨간 장미 그리고 맥주뿐 아니라 좋아하는 다양한 것들로 일상을 채울 수도 있고, 고단했던 세월의 터널을 지나 오롯이 엄마 자신만의 삶도 살아갈 수 있었을 것이다. 끝내 터널 속 어둠을 빠져나오지 못한 엄마는 살아생전 행복했을까.

# 오름길 없는 내리사랑

교리 공부가 허무하게 끝나고 예전과 같은 일상을 보내던 어느 날, 거실 소파에 엄마가 누워있었다. 소파에 등을 기댄 채 혼자 놀던 나는 엄마와 함께 나가고 싶어 보챘지만, 컨디션이 좋지 않아 나갈 수 없다고 했다. 유독 심심했던 그날, 혼자서라도 나가 놀려고 하자 엄마는 꿈자리가 좋지 않다며 외출을 허락하지 않았다.

시계 초침 소리만 들리던 거실에 현관문 열리는 소리가 들렸다. 둘째 언니가 학교를 마치고 돌아온 것이다. 언니 눈에도 내가 심심하고 답답해 보였는지 밖에 나가 놀자며 손을 잡아 일으켰다. 누워있던 엄마는 어쩔 수 없다는 듯 몸을 일으켜 배웅했고, 이내 다시 소파에 누웠다.

드디어 바깥 공기를 마시게 된 나는 신나서 위층 친구네 집, 603호로 달려갔다. 그러나 친구 역시 가족 모임 때문에 함께 놀 수 없었고, 아쉬운 마음에 친구네 집 문 앞 복도를 어슬렁거렸다. 이때 언니가 장난으로 방범창을 잡고 한 발 한 발 벽을 타기 시작했다. 두발쯤 내디뎠을까. 헐거웠던 나사는 언니의 무게를 이겨내지 못해 풀렸고, 방범창이 벽에서 떨어졌다. 방범창과 함께 내동댕이쳐진 언니를 걱정하며 모두가 쳐다보는 찰나, 바로 옆에 서 있던 내 얼굴에 날카로운 나사가 스쳐 지나가 목 아래에 박혔다. 순식간에 일어난 일이었다.

친구 어머니는 곧장 엄마에게 연락했다. 좋지 않은 컨디션으로 하루 종일 누워있었던 엄마는 푸석한 머리에 대충 겉옷만 걸친 채 뛰어왔다. 피를 흘리고 멍하니 서 있던 나를 둘러업고 고층에 있는 엘리베이터를 기다릴 시간조차 아까워 계단으로 달려 내려갔다.

정신을 차려 보니 병원에 누워 다친 상처를 꿰매고 있었다. 치료를 다 받고 집으로 돌아가는 길, 진통제 덕분에 아픔은 사라졌지만 여전히 엄마 등에 업혀 간다는 사실에 신이나, 아무 일 없었던 듯 해맑게 웃었다. 나중에야 알게 된 사실이지만, 당시 둘째 언니는 수술비에 보태라며 자신의 남은 용돈과 편지를 남기고 집을 나갔었다고 한다. 씻을 수 없는 상처가 생긴 나와 자책하며 가출한 둘째 언니까지, 엄마는 얼마나 속상했을까.

하루는 엄마와 함께 목욕탕에 갔는데, 나와 비슷한 또래 아이가 몸에 껌이 붙어있다며 놀렸다. 목 아래쪽 상처는 동네 병원에서 급히 꿰맨 탓인지 꼭 화상자국을 닮아, 어린아이 시선에서는 껌으로 보였던 것 같다. 상처받은 나는 놀려대는 아이에게 껌이 아니라는 말 한마디 못 하고 사우나 중이던 엄마에게 갔다. 사우나 문을 열고 울먹이며 놀림당한 일을 말하자, 엄마는 나를 무척이나 안쓰러워했고 가슴 아파했다.

시간이 흘러 상처 색은 연해졌고 점점 무뎌져, V넥이나 U넥처럼 목이 파인 옷도 스스럼없이 입었다. 그러나 엄마는 내 상처를 볼 때마다 가슴 아파했고, 외출을 허락한 자신을 탓하며 항상 미안해했다.

누군가 전해주길, 병원으로 가는 구급차에서 잠깐 의식을 차린 엄마는, 내 상처를 꼭 수술해달라고 부탁한 뒤 눈을 감았다고 한다. 그저 운이 나빠 우연히 생긴 사고였을 뿐인데, 엄마는 왜 자신을 탓하며 눈

감는 마지막까지 죄책감에 시달린 걸까.

*

　1994년 크리스마스 이브날 밤, 산타 할아버지가 집에 왔다. 산타 할아버지가 주신 선물은 내가 가지고 싶어 했던 여자아이 인형이었다. 어떻게 내가 원하는 선물을 주셨을까?

　크리스마스 며칠 전, 유치원 선생님은 원생 학부모님들에게 아이들을 위한 선물을 보내달라고 했다. 그 선물은 산타 할아버지로 분장한 선생님들이 크리스마스 이벤트로 직접 아이들의 집에 방문하여 전달할 예정이었다.

　엄마는 그림 그리기에 푹 빠져있던 나를 위해 36색 크레파스를 준비했다. 고심 끝에 고른 선물이었지만, 혹시나 하는 마음에 나에게 받고 싶은 선물은 없는지 물었다. 동생이 있는 언니들이 부러웠던 나는 고민도 없이 내 동생이 되어 줄 여자아이 인형이 갖고 싶다고 답했다. 당황스러워하는 눈빛과 동요함이 느껴졌지만, 엄마는 이내 고개를 끄덕이고 집을 나섰다.

　두 해가 지나 엄마와 이별한 직후, 살던 곳을 떠나 친척 집 근처로 이사 갈 준비를 했다. 한참 이삿짐을 정리하던 중, 장롱 속 깊숙이 숨겨놓은 크레파스를 발견했다. 엄마가 이 년 전, 내게 줄 크리스마스 선물로 준비한 크레파스였다. 인형이 아닌 다른 선물을 미리 준비했다는 것을, 그때 알게 되었다. 엄마는 당시 내가 크레파스를 발견하면, 혹여 인형을 갖고 싶다고 말한 내가 엄마에게 죄송해할까 봐 평생 비밀로 하실 생각이었다고 한다.

크레파스를 발견하자마자 엄마와의 추억을 떠올릴 수 있어 무척 반가웠고, 뜻밖의 선물 같았다. 하지만 동시에 내가 무엇을 좋아하는지도 몰랐다며 자책하고, 내 마음 불편하지 않게 비밀로 하려 했던 엄마의 배려에 죄송한 마음이 교차했다.

엄마가 받고 싶은 선물을 물었을 때, 딱히 갖고 싶은 것은 없고 엄마가 준비한 선물은 다 좋다고 말했다면 얼마나 좋았을까? 그랬다면 엄마가 크레파스를 장롱에 숨겨둘 필요도 없고, 두 해가 지나 깊숙이 숨겨놓은 크레파스를 발견할 일도 없었을 텐데, 일곱 살의 내가 아쉽다.

*

1995년 초등학생이 된 어느 날, 학교를 마치고 교문을 나서는데 엄마가 손을 흔들며 환하게 웃고 있었다. 근처 일이 있어 나왔다가 내가 하교할 시간이라 기다렸다고 한다. 바로 집에 들어가기 아쉬웠던 나는 엄마의 손을 이끌고 동네 시장으로 향했다.

왁자지껄한 소음과 함께 수많은 사람이 바쁘게 움직였다. 온갖 종류의 물건들이 즐비해 있고, 상인들은 목청껏 소리치며 손님들을 끌어모았다. 나는 지글지글 끓는 기름 소리와 함께 맛있게 튀겨지고 있는 핫도그에 눈길이 갔고, 엄마는 방금 시장 앞에서 헤어진 친구와 나눠 먹으라며 핫도그 두 개를 사주셨다.

친구에게 핫도그를 건네고 빨리 먹어야겠다는 생각에 전속력으로 뛰어간 나는, 시장 모퉁이를 돌아서는 순간 반대편 커피차 상인과 부딪혀 넘어졌다. 무릎은 깨져 피가 났고, 들고 있던 핫도그는 바닥에 떨어졌다. 아픔과 속상함이 동시에 밀려왔다.

멀리서 바라보고 있던 엄마는 바로 내게 달려왔다. 괜찮다며 옷에 묻은 흙먼지를 털어내 주었고, 괜히 친구까지 챙기느라 다치게 했다며 엄마 자신을 탓하고 자책했다. 엄마는 서럽게 울고 있는 나를 핫도그 가게에 데려가, 막 조리하여 따끈한 핫도그를 다시 사주셨다. 나는 언제 넘어졌냐는 듯 천진난만하게 케첩을 뿌려 먹고, 친구와 나눠 먹겠다는 마음은 잊은 채 집으로 발길을 돌렸다.

빨리 핫도그를 먹겠다는 조바심을 버리고 조금 더 주위를 살폈다면, 다칠 일도 없고 엄마가 자책할 필요도 없었을 것이다. 나의 덤벙거림이 엄마의 따뜻한 마음까지도 의미 없게 만들었다.


분명 엄마는 내가 나이에 비해 어른스러운 딸이라고 했다. 그런데 그리 많지 않은 엄마와의 추억에서 내 행동은 왜 이렇게 후회스럽고, 엄마는 왜 항상 엄마 자신 탓만 했을까.

이 질문에 대한 답을 모르는 것은 아니다. 엄마는 나에 대한 무한한 사랑으로 자신을 희생했고, 내가 하는 모든 행동과 그 결과를 엄마의 책임으로 여겼을 것이다. 답을 알면서도 묻고 또 묻는 이유는, 오름길 없는 엄마의 내리사랑이 평생 되갚을 길이 없어 빚으로 남았고, 두고 두고 나의 마음을 무겁게 하기 때문이다.

가족을 위해 희생을 감수하고 모든 것은 엄마 자신 탓이라고 생각하며, 엄마 역할을 감당하느라 엄마로서의 삶만 살다 떠난 우리 엄마.

어떠한 노력에도 이런 엄마의 곁에 있을 수 없다는 사실이 사무치게 슬프다.

오름길 없는 엄마의 내리사랑에 보답할 방법은 없을까.

## 내리사랑에 보답하는 길

엄마가 떠나기 한 달 전, 엄마와 함께 거실 소파에 앉아 드라마를 봤다.

*중학교 입학 후 처음 친구를 사귀게 된 여주인공은, 하교 후 친구 집에 놀러 간다. 친구 어머님은 처음 보는 여주인공에게 이것저것 물어보시다가 가족 이야기가 나왔고, 여주인공은 아빠가 일찍 돌아가셔서 엄마와 단둘이 살고 있다고 말한다. 그러자 방금까지 친절했던 친구 어머님의 모습은 사라지고, 자기 딸과 놀지 말라며 소리를 친다.*

아무 생각 없이 친구 어머님이 너무하다고 생각했던 드라마 한 장면인데, 비슷한 상황이 내 눈 앞에 펼쳐질 줄은 상상도 못 했다.

중학교 2학년, 담임 선생님의 전공과목은 음악이었다. 피아노를 오래 쳐 한동안 피아니스트를 꿈꿨고, 노래 부르기를 좋아했던 나는 담임 선생님의 전공과목이 음악이라서 좋았다. 학창 시절 담임 선생님을 좋아하면 그만큼 성적도 오르는 학생들이 있지 않는가. 담임 선생님께 예쁨 받고 싶었던 나는 공부도, 학교생활도 열심히 했다.

그러던 어느 날 등굣길 정문에서 학교 규칙을 어겼다며 교무실에 불려 간 일이 생겼다. 내가 다니던 중학교는 귀밑 5cm로 두발 규제가 심했는데, 나와 내 친구의 머리가 길다는 것이었다. 몇 주 전 이미 미용실에 다녀왔고, 어깨와 한참 거리가 있을 만큼 머리가 짧았다고 느꼈던 나는 억울한 기분이 들었다.

그 모습을 본 담임 선생님은 나와 내 친구를 불러 음악실로 데려갔고, 우리 입장에서 위로해 주려고 따로 부르신 것 같았다. 그런데 담임 선생님이 우리에게 했던 말은 매우 충격적이었다. 나에게는 엄마 없는 애라서 엄마 없는 티 내는 거냐고 물었고, 친구에게는 부모가 이혼해서 반항하는 거냐고 추궁했다. 이십 년이 지난 일이지만, 아직도 그날의 장면은 생생하다.

당황하고 화가 났지만, 곧 슬퍼졌다. 어린 시절 엄마의 가르침에 따라 충분히 바르게 자랐다고 생각했는데, 좋지 않은 일로 언급된 것 같아 엄마에게 너무 죄송했다. 또 엄마의 빈자리를 느끼지 못할 만큼 사랑으로 돌봐준 아빠와 언니들에게도 미안했다.

집에 돌아와 곰곰이 생각했다. 잘못했다고 빠르게 인정했어야 했을까. 하지만 지금 다시 생각해도 함께 불려 간 친구와 나는 교칙을 어기지 않았고, 담임 선생님이 나와 친구의 가정사에 대한 이해와 배려가 부족했다고 생각한다. 부당한 대우와 차별을 받아 억울했지만, 받아들일 수밖에 없었던 가혹한 현실이었다.

살다 보면 눈에 보이는 배경만 보고 그 배경이 전부라고 믿는 사람들이 있다. 안타깝게도 이런 사람들은 생각보다 주변에 참 많았고, 그들과의 관계에서 해방될 수 없었다. 잘못된 편견이나 오해로 상처받지 않기 위해서는 더 단단해져야 했고, 이것이 엄마의 내리사랑에 보답하는 길이라고 생각했다.

다행히 비슷한 경험이 쌓이면 쌓일수록 부당한 대우나 차별에 유하게 넘어가는 법을 터득하게 되었고, 결국 무덤덤해졌다. 이렇게 되기까지 스스로 노력한 것도 있지만, 아빠와 언니들의 보살핌도 한몫했다.

하지만 쌓인 경험도 가족들의 보살핌도 소용없이, 엄마의 온기가 그리울 때가 있다. 결혼식과 같이 내 인생에 경사스러운 일이 생기거나, 우리 가족에게 행복한 순간이 찾아오면 더욱 그랬다.

*

2017년 푸른 잎이 울긋불긋 물들고 상쾌한 가을바람이 불던 어느 날, 곁에 있을 때 가장 나다운 모습이 되게 하는 사람과 결혼했다.

우리 집에서는 초혼이라 결혼을 준비해 본 경험이 없었고, 아빠와 첫째 언니는 지방에 살고 있어 최대한 혼자 결혼을 준비해야겠다고 다짐했다. 그러다 보니 자연스럽게 엄마의 빈자리가 크게 느껴졌다.

모든 것이 처음이었던 나는 결혼을 준비하는 내내 엄마의 조언이 필요했고, 엄마라면 어떤 결정을 했을지 상상하고 또 상상했다. 혼자 발버둥을 치면 칠수록 마치 채워지지 않는 틈처럼 엄마의 빈자리가 더 뚜렷이 느껴졌고, 그 틈이 커질 만큼 커질 때쯤 결혼식이 열렸다.

꽃향기와 설렘 가득한 식장에, 남편과 나의 어린 시절부터 결혼하기까지의 과정을 담은 식전 영상이 반복 재생되었다. 음향 소리가 점점 작아지고, 조용함이 고요함으로 변할 때쯤 서글서글한 눈매를 가진 남편이 힘차게 걸어간다.

결혼식은 일반적으로 화촉 점화로 시작된다. 하지만 우리는 화촉 점화를 생략하고, 신랑 입장부터 했다. 결혼식을 몇 주 앞두고 어머님께 화촉 점화를 생략하고 싶다는 우리의 의사를 전달했기 때문이다. 남편은 둘째였고, 남편 집의 두 번째 혼례였지만 장남이었기 때문에, 화촉 점화는 어머님께도 의미 있는 절차였을 수도 있다. 또 결혼을 준비하며 가입한 카페에서 화촉 점화를 생략하면 서운해하시는 부모님들이 많다는 이야기가 있어 말씀드리는 것이 매우 조심스러웠다.

하지만 화촉 점화는 양가 어머니들이 손을 잡고 입장해 화촉을 밝히는 절차이고, 누군가 엄마 자리를 대신하는 것이 마음에 걸렸다. 결혼식이라는 특별한 순간을 함께하지 못하는 것도 아쉬운데, 벌어진 틈을 다른 사람으로 대신 채우고 싶지 않았다.

엄마는 내 결혼 소식에 누구보다도 축하해 주셨을 것이 분명하여, 아빠 옆 빈 혼주석에 엄마의 영혼이라도 앉아 함께하길 바랐다. 그래서 용기를 내어 어머님께 화촉 점화를 생략하고 싶다고 말씀드렸고, 어머님도 흔쾌히 알겠다고 해주셨다.

화촉 점화에 의미를 두자면 얼마든지 둘 수 있었지만, 며느리의 마음을 살펴주시고 화촉 점화를 생략해 주신 어머님께 매우 감사했다.

덕분에 엄마도 함께한 행복한 결혼식이었고, 채워지지 않는 틈만큼 새로 생긴 가족들의 사랑과 배려로 더 이상 외롭지 않았다.

엄마를 떠나보내고 이십칠 년을 더 살았다. 돌이켜보면 종교인에게 매 순간 신이 함께하듯, 매 순간 엄마는 나와 함께했다. 덕분에 이만큼 바르게 성장하여 한 사람 몫을 다하는 어른이 되었고, 사랑하는 사람을 만나 결혼도 했다. 그래서 이 글을 쓰고 있는 지금도 나는, 엄마의 온기를 느낀다.

앞으로 몇 해가 더 지나면 엄마도 경험하지 못했던 마흔 살 이후의 삶을 살아가게 된다. 그때도 지금처럼 매 순간 엄마와 함께하고 싶다. 서로 다른 시공간에서 엄마를 마주하고 엄마의 온기를 느낀다면, 이 또한 엄마의 내리사랑에 보답하는 길이 아닐까.

*

엄마의 내리사랑에 보답하는 또 하나의 길로, 우리 가족은 날짜를 꼭 지켜 제사를 지냈다. 그런데 올해 엄마의 제삿날은 11월 8일 수요일이었고, 서울에 살고 있는 나와 둘째 언니 모두 제삿날 전후로 해야 할 업무와 중요한 회의가 잡혀 휴가를 내기 애매한 상황이었다. 그래서 우리는 엄마의 제삿날을 주제로 가족회의를 했다. 우리에게 엄마의 제삿날은 무슨 의미일까.

엄마를 기리고, 예의를 표하는 행사일까. 일 년에 한 번 가족들이 모여 가족의 연대감을 유지하는 역할일까. 그것도 아니면 엄마의 영혼이 편안히 쉬고, 엄마가 보여줬던 가르침과 사랑을 되새기는 시간일까. 확실한 건, 단순히 예로부터 이어진 전통 행사로써 모이는 것은 아니라는 것이다.

지금까지는 엄마의 사랑에 대한 보답으로 날짜를 꼭 지켜 제사를 지내야 한다고 생각했다. 하지만, 제사를 지내는 의미를 생각해 보니 꼭 그럴 필요는 없겠다는 결론에 다다랐다.

제사를 지낸 지 스물일곱 해, 엄마의 제삿날을 바꿨다.

오랜 세월 엄마의 제사상을 차리느라 고생한 첫째 언니는 끝까지 제삿날을 바꾸는 것을 죄송해했다. 하지만 엄마라면 분명 이제야 첫째 딸도 무거웠던 책임감을 내려놓고, 조금은 편안해졌다며 만족해할 것이다. 그리고 굳이 날짜를 지켜 힘들게 제사를 지내는 것보다, 우리가 다 함께 모일 수 있는 편한 날짜에 제사를 지내는 것을 더 바랄 것이다.

작년까지 하루 종일 제사를 준비하고 지낸 후, 다음 날 일찍 서울로 올라와 엄마 산소에는 가보지 못할 때가 많았다. 올해는 날짜를 바꾼 덕분에 첫째 언니가 간단히 준비해 준 나물 몇 가지와 과일을 사 들고 산소에 갔다. 산소에 다녀온 뒤, 제사상을 차리기 위해 애썼던 시간을 아껴 우리는 식탁에 둘러앉았고, 엄마에 대한 추억을 안주 삼아 술잔을 부딪쳤다.

올해 아빠는 엄마와의 첫 만남을 이야기해 주셨다. 술기운에 상기된 얼굴이었겠지만 결혼하기까지의 과정을 말씀해 주시는 아빠는 설렘 가득해 보였다. 부모님의 러브스토리를 들으니, 꼭 그 자리에 엄마가 함께 앉아 부끄러워하는 것만 같았다.

앞으로도 우리 가족은 올해 제사 날짜를 바꾼 것처럼 엄마와 우리 모두 편한 마음으로 함께 할 방법들을 생각해 낼 것이다. 불편한 것들은 지속되기 어렵고, 우리는 오랫동안 엄마의 내리사랑에 보답하며 살아가고 싶기 때문이다.

## 세 딸을 키운 엄마의 행복

엄마와 함께한 시간에 세 배수를 곱한 만큼 시간이 흘렀다. 이만큼 세월이 흐르니 엄마가 그립지는 않다. 보고 싶어도 볼 수 없고, 만나고 싶어도 만날 수 없다는 것을 너무 잘 알기 때문이다. 다만, 이만큼 세월이 흘러도 한 번씩 엄마를 생각할 때면, 엄마의 삶이 애달파 마음이 저린다. 끝내 터널 속 어둠을 빠져나오지 못한 엄마는 살아생전 행복했을까.

작년 둘째 언니가 조카를 출산했다. 출산 전날까지도 일을 하던 언니는 열 달 내내 입덧이 심해 고생했다. 출산휴가 동안 회사에서 입지가 줄어들진 않을지 걱정했고, 언니의 삶이 달라지는 것을 두려워했다. 그런데 막상 출산하고 나니 "엄마"라는 스위치라도 켠 듯 언니의 태도와 마음가짐이 180도 달라졌다.

언니는 출산휴가 후 바로 복귀 예정이었으나, 육아휴직을 고민했다. 조카가 건강하게 자라길 매 순간 바랐고, 더 좋은 것을 입히고 먹이기 위해 육아법을 공부하고 또 공부했다. 자신보다 더 소중한 존재라고 말하는 언니를 보니 매우 신기했다.

언니는 출산휴가 복귀 후 낮에는 한 회사의 소속된 직원으로서 열심히 일하고, 밤에는 한 아이의 엄마로 하루를 마무리한다. 하루 24시간, 주 7일이 터무니없이 부족해 보이는 언니의 삶이 처음에는 안타깝고 동생으로서 걱정되었지만, 이제는 그런 언니가 매우 행복해 보인다.

지금껏 본 적 없는 눈빛으로 조카를 바라보고, 지금껏 들어보지 못한 세계관으로 세상을 말한다. 하루에도 몇 번씩 가족 톡 방에 조카 사진을 보내고, 한 발 내딛는 걸음과 언니를 따라 내뱉은 단어 한마디에 자랑하고 또 자랑한다. 엄마가 우리 세 자매를 키울 때도 지금 언니와 같은 모습이었을까?

흑백 시간에만 머무는 엄마는 한 남자의 아내로, 세 딸의 엄마로, 한 집안의 며느리로 딸로 아등바등하며 살고 있다. 엄마의 이름 석 자 "김선자" 없이 얽히고설킨 관계 속에서 충실히 역할을 다하며 애쓰는 삶이 매우 고단해 보인다. 그런데 둘째 언니의 임신, 출산, 육아의 과정을 옆에서 지켜보니, 어쩌면 엄마에게도 행복한 삶이었을 수도 있겠다는 생각에 안도의 한숨이 나왔다. 왜 나는 엄마의 삶이 애달팠을까.

이 세상에서 엄마와 딸의 관계로 만나, 엄마만의 온전한 삶이 없었다고 생각했다. 엄마의 취향으로 가득 채운 일상은 무리 없이 편안한 마음으로 살아가는 어른의 삶 같았지만, 그 삶은 때때로 지독히 고단해 보였다. 희생이라는 단어에 지배된 삶이었고, 그 희생으로 고생만 하다 젊은 나이에 일찍 돌아가셨다고 느껴, 엄마의 삶이 애달팠다. 그런데 엄마의 삶이 내가 기억하는 삶뿐이겠는가.

엄마에게도 오롯이 자신의 삶을 살았던 시절이 있었을 것이고, 그 시절보다 더 귀한 나와 언니들을 만나 우리 세 자매와 함께한 모든 순간이 소중했을 것이다. 아들이라고 찰떡같이 믿었던 내가 딸이었을 때도, 그 막내딸이 아장아장 걷고 옹알옹알 말하기 시작했을 때도, 방범창 사고로 큰 상처를 입었지만 해맑게 웃었을 때도, 심지어 씻기 싫다고 고집을 피웠던 마지막 순간마저도 엄마는 행복했을 것이다. 그런데 내가 지레짐작 불행한 삶이었다고 단정 지었다. 참 오만하고 어리석은 생각이다.

행복한 삶이란 무엇일까. 엄마가 된 둘째 언니 덕분에 흑백 시간 속 잠든 엄마의 삶을 다시 바라본다. 다시 마주한 엄마는 다행히도 얽히고설킨 관계 속에서 충실히 역할을 다하되, 둘째 언니가 조카를 바라보는 모습과같이 흐뭇한 얼굴로 우리 세 자매를 바라보고 있다. 더 이상 엄마의 삶이 애달프지 않고, 더 이상 엄마의 삶이 불행해 보이지 않는다.


엄마와 함께한 시간에 세 배수를 곱한 만큼 시간이 흘렀다. 이만큼 세월이 흘러도 엄마가 그립다는 이야기를 이렇게 길게 한다. 그래도 앞으로 엄마를 생각할 때면, 세 딸을 키우며 행복한 삶을 살았고, 고단했던 어둠이 전부였던 삶은 아니었다고 생각할 수 있을 것 같다. 참 다행이다.


## 사랑했고, 사랑하며, 앞으로도 사랑합니다.

생각이 많고 그 생각을 글로 정리하는 것을 좋아하지만, 최근 몇 년 동안 생각하는 행위 자체를 외면하며 살았다. 그러던 중, 생각도 글도 다시 직면하고 하루하루를 곱씹으며 살아가고 싶다는 생각이 들어 다시 연필을 잡았다.

특별할 것 없이 평범한 일상에서 저녁마다, 주말마다 엄마를 만나기 위해 책상 앞에 앉았다. 특히 일요일에는 다음 한 주를 위해 그 어떤 약속도 잡지 않았었는데, 엄마를 위해 집을 나섰고 그 발걸음은 무척이나 가벼웠다.

추억을 곱씹으며 엄마를 생각하고, 엄마의 온기를 느꼈다. 처음이라 서툴러 쓰고 지우기를 반복하기 일쑤였지만, 일상에서 엄마를 만날 수 있는 이 시간이 매우 소중하고, 또 행복했다. 한 자 한 자 기록을 남기는 날들이 더해질수록 이런 시간이 벌써 그리워진다.

처음에는 이 글에 담을 수 있는 에피소드가 열 개 남짓뿐이라는 사실이 슬펐고, 오랜 시간 함께하지 못했다는 것이 새삼스레 서운한 마음마저 들었다. 하지만 이내 엄마의 마지막 순간을 녹화된 영상처럼 기억하는 내 자신이 자랑스러웠고, 덕분에 놓치지 않고 기록하며 엄마의 삶, 엄마의 행복에 대해 다시 생각해 볼 수 있음에 감사했다.

생각에 잠기고, 글로 정리하는 즐거움을 다시금 찾게 해준 주제가 "엄마"라서 더할 나위 없었다.

세월의 흐름 따라 희미해져 가는 기억이, 손끝을 타고 시공간을 초월하여 아련하게 남는다. 엄마의 취향, 삶에 대해 곱씹고, 추억을 따라 시간여행을 하다 보니 엄마에게 궁금한 것도 하고 싶은 말도 참 많다. 그런데 이게 다 무슨 소용인가. 엄마에게 내 마음을 전할 수 있는 말 한마디면 충분할 것 같다.

이제서야 고백하는 마음이라 송구스럽지만, 이제라도 고백할 수 있어서 다행이다. 이 마음 바람 타고 엄마에게 닿길 바라며,

커피믹스, 빨간 장미, 그리고 맥주를 좋아했던 엄마를 많이 사랑했고, 아직도 사랑하며, 앞으로도 사랑합니다.

**엄마, 사랑해**

# 개척자

남수연

**남수연**　이상을 현실로 만드는 Life Developer. 고졸 출신으로 16번의 직과 5번의 업종 전환을 통해 다양한 비즈니스 분석을 즐기고 삶의 자세에 대하여 고찰을 한다. 나 홀로 16년이 넘는 시간을 성장해왔다고 생각했지만, 벼가 익으면 고개를 숙이 듯 주변의 이들에게 감사함을 느끼는 중이다. 봄이 되면 꽃 사진을 찍어 그림을 그리는 것을 좋아하고, 여름에는 바다에서 프리다이빙을 하고, 가을에는 단풍을 보러가고, 겨울에는 뜨끈한 어묵과 사케를 좋아한다.

인스타그램: @earthquake7777

## [ 프롤로그 ] 나를 찾기로 했습니다.

가만히 있어도 빛나는 10대의 나는 또래와 다르게 손만 대도 바스러지는 바짝 마른 건초처럼 살아갔다. 내가 책상에서 바라본 공부는 12년 동안 오직 대학 입학을 위해, 복지가 좋은 직장 다니 잘난 배우자를 만나 아이를 키우기 위험이었다. 자신의 이름이 지워져 버렸는지도 모르는 채로 살아가는 어른들이 나의 미래로 보였다.

'무엇이 잘 못된 것일까' 알 수 없는 갈증은 깊어지고 답답함과 위화감은 사라지지 않았다. 뚜렷한 계획도 없이 대학생이 아닌 사회인이 되었다. 한 치 앞이 보이지 않는 망망대해 배에 홀로 남겨진 듯한 두려움이 막연하게 들었다. 새카맣게 커진 어둠이 나 자신을 모르기 때문이라는 것을 깨닫게 해주는 데는 그리 오래 걸리지 않았다. 학교에서 배우는 교육 과정은 모조리 수능을 위한 것이었고, 좋아하는 것, 싫어하는 것, 잘하는 것, 못하는 것을 알아가는 과정은 단 한 번도 없었다. 인터넷에 검색해도 지금처럼 1인 미디어나 다양한 자세한 정보가 없었다. 온전히 몸으로 부딪힐 수밖에 없었다.

나를 찾고, 나의 세상을 개혁하기로 다짐했다.
조금 더 유연해지고, 조금 더 단단해져야 했다.

17년이 흐른 지금. 도시에 사는 평범한 어른이지만, 16번의 이직과 5번의 업종 전환을 통해 나 자신을 알아가고 특별한 이력과 소중한 인연들이 생겼다.

이건 나답게 살아가는 여정을 담은 책 이자, 삶에 대한 열망을 담은 책이다.
터무니없어 보이는 용기와 호기심만 가지고 시작한 일을 어떻게 나의 직업으로 만드는지 하루 종일 함께 있는 직장 동료를 든든한 나의 사람으로 어떻게 관계를 맺는지, 관계를 지키고, 마음을 표현하고, 상대를 사랑해야 하는지, 실행을 통한 고찰의 결과를 담았다.

자신 없고 두려운 일들이 여전히 나를 휘두르고 있지만, 조금은 더 담담하게 풀어갈 수 있는 자신감이 생겼다.

한번 뿐인 삶을 나 답게 선택하며 당당하게 살아 갈수 있기를.
삶의 가장 중요한 것들을 잃지 않기 위하여.

## 이상을 현실로 구현하는 Life Developer.

"이력서가 화려하네요?" 면접 담당자는 호기심 어린 눈빛으로 나를 쳐다본다. 12번째 면접을 넘어가며 첫인사로 가장 많이 들은 말이었다. 딱딱하고 투박한 회의실 공기를 사이에 두고 면접 담당자의 시선을 마주치기라도 하면 부담스러워 피하던 병아리 시절이 있었다. 서른이 넘기 시작할 무렵 너스레 웃으며 자기소개를 할 때도 첫 번째 말은 한결같다.

"안녕하세요. 이상을 현실로 구현하는 Life Developer 남수연입니다."
이 한 줄을 완성하기 위해 10여 년의 시간이 걸렸다.

나의 스펙은 탄탄하거나 화려하지 않았다. 오직 대학을 가기 위해 등하교를 하는 것은 큰 곤욕이었다. 그렇다고 무엇 하나 잘하거나 좋아하는 것도 없었다. 재미없는 장난이나 이야기를 하는 같은 반 친구들을 한심하다는 듯 바라보는 것이 일상이었다. 그들은 나를 표정이 없는 아이로 놀렸었지만 정말로 재미가 없어서 웃어주기 싫었다. 마음 속 한편으론 아이돌이나 개그 프로를 보며 재미있어하거나 설레는 또래 감성이 부러웠다. 무언가를 원하는 것도 없었고, 무언가를 좋아하는 것도 없었다. 딱히 싫어하는 것도 없었고, 딱히 못하는 것도 없었다. 내가 좋아하는 것이 생기게 될까? 내가 좋아하는 사람이 생길까?

물음이 가득한 사춘기는 꽤나 긴 시간 지속되었다.

　세상에 투쟁할 용기도 없이 투덜거리기 만하던 19세의 5월 어느 날, 친구의 소개로 대학생과 소개팅을 했다. 별 기대도 안 하고 나갔지만 웃는 모습이 예쁜 사람이었다. 운이 좋게도 나와 다른 매력을 가진 그 사람이 먼저 만나자고 제안을 했다. 그와 만난 순간과 감정도 지나가는 것이라 여겼다. 일주일도 안 된 시간이었지만 그 사람만의 반짝임을 동경하고 있었다. 명문대 학생회를 이끌어가는 리더십과 언행이 살아있는 사람이었다. 나와 전혀 다른 모습을 바라보며 끝없는 비교를 시작하였다. 처음으로 느낀 시기와 질투심이 나를 좀먹기 시작했다. 사랑이 피어났지만 이별을 고하며 뒷걸음치는 것이 최선이었다. 몇 계절이 바뀌는 동안 두고두고 아파했다. 다시는 같은 이유로 사랑하는 것을 놓치지 않게 노라 다짐을 했지만 기본적인 학업에도 소홀했던 나는 무능했다. 원하는 나를 만들기 위해 닥치는 대로 자기계발서를 읽어갔다. 흘러가는 대로 사는 것이 아닌, 잘하거나 좋아하는 일을 직업으로 선택하고 책을 쓴 사람처럼 경제력과 멋진 인성을 갖고 싶었다. 책의 이야기는 와닿는 부분도 있었지만 나에게 맞는 방법이 무엇인지 몰랐다. 한 가지 메시지는 명확했다.

　'설레는 것이 있다면 도전하라!'

　동네를 지나다 우연히 발견한 간호조무사 국비과정을 발견하여 19살부터 인공신장실의 일을 시작했다. 처음에는 별생각없이 시작한 일이었지만, 삶이 무료하던 나에겐 환자들의 삶에 대한 의지, 어르신들의 따뜻함을 느낄 수 있었던 뜻 깊은 곳이었다. 이곳에서는 나의 재미없다는 말과 감정을 표현할 수 없었다. 꺼져가는 삶의 불씨를 지펴주는 현장이었다. 인공신장실 실습을 마치고 치과에서 일을 하며 응급실 간호사라는 꿈이 생겼다.

'직업은 명사가 아닌 동사가 되어야 한다.'

학생 때부터 생각했던 말이다. 생명이 꺼져가는 급박한 순간에 한 줄기의 생명수가 되어주고 싶었다. 어머니께서는 넉넉하지 못한 가정 형편과 학생 때 하지도 않는 공부를 지금에 서야 하겠다고 하니 극구 반대를 하셨다. 사정을 알지만 받아들일 수 없었다. 내가 성공해야 이 환경도 변할 수 있다 믿었고 혼자만의 약속을 했다.


처음으로 무언가를 간절하게 하고 싶어 했던 21살, 낮에는 치과를 다니고 밤에는 호프집에서 아르바이트를 하며 6개월 만에 천만 원을 모아 종합 재수학원에 등록하였다. 휴대폰도 없애고 긴 머리를 귀밑 3cm까지 잘랐다. 그렇게 반대를 하던 어머니께서도 그 노력이 가상했는지 없는 형편에 일주일 차비 만 원과 함께 하루도 거르지 않고 도시락을 싸줬다. 그 만 원이 귀해 아껴서 모으고 모아서 참고서 한 권을 살 때마다 감사함과 뿌듯함을 느꼈다. '식자우환'이라 조회시간마다 외치시는 재수학원 선생님의 말씀대로 옆의 학생에게는 말을 단 한 번도 걸어 본적도 없이, 오직 나를 위 한 시간이었고 최선을 다했지만 공부의 노하우가 없던 나는 실패했다. 처음으로 의지를 갖고 행하는 도전이었고, 쓴 실패였으며 가슴 뛰는 배움의 순간들이었다. 비록 원하는 대학에 붙지 못하여 재수학원 화장실 칸막이 안에서 눈물, 콧물로 쏟아낸 9개월간의 노력에 대한 실패의 아픔을 이를 악물고 삼켜냈다. 생에서의 첫 도전이었고 단 한순간도 후회는 없었다. 오히려 하고 싶은 것에 대한 도전의식과 실행력을 실어준 계기가 되었다. 19살에 시작한 간호조무사라는 직업을 거쳐 재수 준비, 증권회사 사무직, 웹 디자이너, 웹 개발자를 거쳐 딱 10년이 되던 29살에는 웹 기획과 기업 SNS 홍보 담당자였을 때였다. 다시 개발자로 돌아가기 위한 퇴사 직전 다섯 살 어린 직장동료가 해준 말이 있었다.

"언니처럼 살고 싶어요. 멋있어요!"

처음 듣는 말이었다. 가족보다 많은 시간을 보내는 직장동료가 나를 좋게 봐 준 것에 감사했고, 누군가를 동경하며 시작된 바뀐 나의 삶이 다시 누군가에게 동경할 수 있는 삶의 모습이 되었다는 것에도 감사했다. 이럴 자격이 있을까라는 생각이 들기도 했지만 10여 년의 나를 나만의 이상향으로 잘 가꾸어져 왔음에 뿌듯함을 느꼈다. 원하는 이상향으로 조금씩 꾸준히 나아가다 보면, 이상향의 모습이 된 자신을 마주할 순간이 반드시 온다.

## 공을 뒤집으면 운이 된다.

인생은 때로 예상치 못한 순간들로 가득 차 있다. 이러한 순간들이 우리의 삶에 새로운 의미와 기회를 불러올 때가 있다. 마치 공을 뒤집으면 운이 된다는 속설처럼, 우리의 삶도 뜻밖의 사건들로 가득하다. 22살 겨울 재수를 실패한 후 동네 이비인후과에서 다시 간호조무사가 되어 있었다. 직장 생활은 3,6,9라고 했던가? 3개월 차에 현타가 거세게 밀려왔다. 이를 극복하고자 많은 방법을 구상을 하던 중 밑도 끝도 없는 엉뚱한 생각을 했다.

'고졸 출신으로 입사를 할 수 있는 회사가 무엇이 있을까?'로 시작한 생각은 "증권 회사 들어가겠습니다." 라는 포부와 함께 사표라는 결론에 머물렀다. 원장님은 생전 처음 듣는 퇴사 사유라며 헛웃음을 지으며 월급 10만 원 올려준다는 제안을 했다. 이 무모한 무계획을 완성시키기 위해 퇴사를 실행했지만 막상 그만두니 어떻게 무계획적 포부를 현실로 만들어갈지 막막했다.

할 수 있는 방법은 오직 구인사이트부터 아르바이트 사이트까지 샅샅이 뒤지는 것이었다. 운이 좋게도 증권사 아르바이트 자리를 발견했다. 23살 3월, 첫 회사 생활을 원하던 여의도에 있는 증권회사 본사에 입성을 했다. 뒤늦게 알게 된 사실이지만 증권사의 아르바이트 및 인턴 자리는 들어가기도 힘들다고 업계에 있을 때 듣게 되었다. 국내 주식 거래 시간은 오전 9시부터 오후 15시 30분까지이지만, 전일 종가로 시작하는 장 시작 동시호가는 오전 8시 30분부터 9시까지 호가가 쌓인다. 이를 준비하기 위한 증권사의 아침은 일반회사의 아침보다 빨랐다. 직무는 사무 보조였지만 팀원들보다 항상 일찍 출근해 부서별 정규 직원이 보는 신문 분배 및 화분 물 주기, 설거지 안된 컵 닦기 등 온갖 잡일을 오전 8시 이전에 마무리 했다. 법인 1팀이었던 나는 팀장님의 추천으로 타 증권사의 국제 영업부에 급작스러운 면접을 보게 되었다. 영어를 한 마디도 못하던 나는 미국 교포 출신의 상무님과 1:1 면접을 보며 한 번도 느껴보지 못한 긴장감으로 떨었다. 준비가 하나도 안됐던 나는 날카로운 면접과 참담한 혹평을 듣고 집에 도착했다. 미리 준비하지 않았던 나를 탓하며 오래된 컴퓨터를 켜 엉엉 울며 이력서를 작성하고 새벽까지 면접에서의 미흡한 부분을 보안해 나갔다. 다음날 팀장님께서 이력서가 있냐고 물어봤고 눈물 젖은 이력서를 제출했다. 전날의 절박함으로 23살 6월 합격하여 국제영업부의 일원이 되어 명함도 나왔다.

기쁨도 잠시, 직원으로 서의 첫 회사 생활은 녹록지 않았다. 지식이 하나도 없던 주식용어 및 생소한 조직문화를 적용하기에도 벅찼다. 신규 팀 ADR(American depositary share) & 대차 거래 & 외화 차익 거래 팀의 사무직으로 투입되었다. 주식의 '주'도 모르고 모든 용어가 생소하여 매일 밤 10시가 넘도록 홀로 남아 공부를 했다. 새로 오신 부장님은 엑셀 파일을 종이로만 출력해서 줘서 자금부와 맞춰가야 하는 일일 운용 금액 현황을 맞추기도 어려웠고 전산팀과 전산 프로그램도 만드는 중간 역할을 했다. 6개월가량 자동으로 계산되는 일일 운용 금액표를 엑셀로 만들었다. 만드는 과정에서 많은 사람들의 도움을 받았다. 자금부의 한참 선배인 직원에게 매일 찾아가 음료수와 초콜릿을 돌리며 필요한 것들을 물어보고 배웠다. 그해 12월 부장님의 엑셀보다 내가 타부서원들과 만든 엑셀이 완벽하게 맞아 회사의 일원으로서 성취를 맛보았다. 이 덕분에 몇몇의 타부서원들과 돈독한 관계로 현재까지 안부를 묻는 사이가 되었다. 이후 일과 삶에 대한 욕망이 더욱 생겼다. 누구나 할 수 있는 일이 아닌, 나만이 할 수 있는 일을 찾고 싶어 퇴직을 했다. 취업이 어려운 초급 개발자가 되었을 때, 증권사 재직 시절에 협업을 하던 타부서의 팀장님께 가능성을 인정받아 스카우트됐다.

공을 쌓아 지나가는 기회를 잡으면 운이 된다. 또한, 꿈보다 해몽이 우리의 운을 만들어간다. 여행을 갔을 때 비가 내리는 날엔 날씨 운이 없는 것이 아니라 운치가 있는 길을 걸을 수 있고, 뜨끈한 국물에 소주 한 잔이 달달해지며, 우산을 공유를 했을 땐 멀었던 사이도 깊어질 수 있다. 우리는 누구나 운이 좋은 사람이 될 수 있고, 날씨 요정 또한 될 수 있다.

# 쉼표가 있어야 긴 문장을 이어갈 수 있다.

글은 아름다운 그림을 그리듯이 우리의 생각과 감정을 전달하는 수단이다. 그 속에서 쉼표는 마치 작은 조각처럼 보이지만, 긴 문장을 이어가는 데에 있어서 그 중요성은 무시할 수 없다. 쉼표는 마치 우리의 삶 속의 휴식처럼 작용하여 문장을 조화롭게 이어가주는 역할을 한다. 삶에서도 쉼표가 중요하다.

어떤 일이든 제 몫을 못해 남에게 피해를 주기 싫었던 나는 이직이나 업종 전환 후 적응기간 동안 주중에는 매일 같이 야근을 하고, 주말에도 출근을 했었다. 주말 저녁에만 잠시 내 사람들을 만나 잘 마시지도 못하는 쓴 소주 한 잔을 하며 스트레스를 꾹꾹 눌러 삼켰다. 이런 과정이 힘겹다는 생각이 찾아올 때면, 스스로가 나약한 것이라 채찍질을 하며 쓰러져가는 의지를 일으켜 세웠다. 유한한 삶에서 청춘은 짧아 순간마다 최선을 다해야 한다고 생각했다. 하루라는 시간 동안 아무것도 안 하면 도태된다는 생각에 온전히 쉬는 시간을 보내기보다는 집에서도 일을 했고, 미래의 기술발전 속에서의 내가 할 수 있는 돈이 되는 일은 무엇인지 항상 고민했다. 현재 나의 상태에는 무시하고 무리하게 잠자는 시간을 줄여서라도 해야 한다고 생각했다. 이러한 시간들이 모여 이력서를 완성해 나가고 있었다. 간호조무사에서 증권회사 사무직, 웹디자이너를 위해 국가에서 운영하는 한국폴리텍대학의 기능사 과정으로 9개월 동안 기능사 자격증 3개를 취득을 한 후 웹

디자이너로 취업을 했고, 당시 짧은 오픈마켓에 입력하는 코드에 매력을 느껴 바로 그만두고 국비과정을 통해 Java Spring Framework 과정을 6개월 수료 후 27살에 벤처기업의 퍼블리셔로 개발자라는 직업의 커리어를 시작했다. 개발자로 첫 직장을 출근을한 지 일주일 만에 교통사고를 당했다. 인도에 서있다가 후진하는 트럭에 맨몸이 치여 쓰러졌던 사고였지만 외상이 없어 바로 출근을 했었다. 매일같이 야근과 이따금씩 있는 철야와 회식을 하면서 아침에 헬스장에서 일주일에 두 번 PT까지 받으며 몸이 버티어 주길 바랐다. 결국 나의 욕심 때문에 출근 중 지하철에서 아찔함을 느끼며 주저앉았었고 병원 신세를 졌다. 교통사고 이후로 생에 2번째의 새하얀 병원 천장을 바라보며 링거를 맞고 있었다. 정신력과 마음이 강하면 무엇이든 해낼 줄 알았지만 건강한 몸이 없다면 불가능하다는 것을 깨우쳤다.

그러나 습관은 쉽게 고쳐지지 않고 눈의 양옆을 가린 경주마처럼 달려 이후 2번의 이직을 하며 대기업 계약직이긴 했지만 웹 기획자로 입사를 했다. 운이 좋게도 홍보마케팅팀의 팀원으로 사내의 다양한 프로그램을 접할 수 있었다. 새로 오픈하는 웰니스 리조트를 체험할 수 있는 프로그램은 내 인생에서 쉼이라는 것을 알려줬던 다양한 체험을 하게 해줬다. 웰니스 프로그램 속에서 만난 산림 치유사님은 나긋나긋한 목소리로 맑은 공기를 천천히 마시는 방법과 작은 풀들의 이름, 바람의 흐름을 느끼게 해주었고, 동행하는 동료들과의 유대감을 느낄 수 있게 안내해 주었다. 평소 등산을 가도 빠르고 넓은 보폭으로 정상만 바라보고 오르며 지나쳤던 익숙한 것들에 대한 소중함과 일상에서의 여유를 알려주었다. 이후 접했던 요가와 명상은 마음이 지옥일 때 처해진 상황을 왜곡이 없는 상태로 바라보는 연습을 할 수 있는 계기를 제공해 줬다. 이를 통해 취미생활이라는 것 또한 찾게 되었다. 스킨 스쿠버를 통해 바닷속에서 느끼는 나의 호흡과 바닷물 소리를 통한 평온함, 다양한 스쿠버들을 만나면서 다양한 삶이 존재한다는 것을 알게 되었다. '일' 을 통해 이루고 싶은 꿈이 아닌, 전 세계를 다이빙 하며 다양한 동식물과 세상의 문화를 체험해 보고 싶은 설레는 로망이 처음으로 생겼다.

최근 이직을 통해 잦은 야근과 직급에 대한 압박감으로 인한 오른쪽 상부 승모근에 통증과 두통이 찾아왔다. 점심시간에 한의원에 들러 통증을 호소하다 한의사님께 물었다.

"저처럼 아파서 오는 환자분들이 많나요?"

한의사님은 많다고 대답하며, 젊은 사람들은 대부분 스트레스로 인해 근육이 경직되어 두통이나 신경통이 발생해 많이 찾아온다고 했다. 나는 다시 질문했다.

"이것에 대한 해결책이 있나요? "

"일뿐만 아니라 본인이 좋아하는 일을 하루에 한 개는 해야 합니다."

자본주의 사회에서 경제적인 능력도 필요하지만 이 경쟁 속에서 살아남으려면 나 자신과 잘 지내고, 내가 좋아하는 것을 제공해 주어 쉼

표를 만들어줘야 숨을 쉴 수 있는 여유를 가지며 인생이라는 한 권의 책을 완성할 수 있다.

## 끊임없는 선택의 연속, 삶의 개척자

일상이 따분할 수 있지만 살아간다는 것은 선택의 연속이다. 끊임없는 선택을 통해 살아가는 길목에 점들이 찍힌다. 작은 점으로 보일 수 있겠지만 점들이 모여 선을 만들고, 선이 모여 한 폭의 그림이 만들어져 나의 모습이 된다. 우리가 평소 노력을 하는 이유는 더 나은 선택사항들을 만들고 후회하지 않는 선택을 하기 위해서다. 이를 위해서는 새로운 길을 선택을 해야 할 순간들이 있을 것이다. 그 순간 용기와 결단력을 통해 미지의 모험에 도전을 한다. 도전과 개척이라는 단어는 일상에서 낯선 단어이지만, 나의 삶을 펼쳐가는 것에 있어서는 적극적이길 바란다. 중요한 선택의 기로에서 가족, 친구, 직장동료 등 소중한 사람들의 조언도 중요하지만 그들이 우리의 인생을 대신 살아주지는 않는다. 홀로 온전히 선택하는 것이 두려운 순간들이 온다면 빈 종이를 꺼내 들어 느끼는 감정, 하고 싶은 것 또는 하기 싫은 것들을 써 내려간다. 이를 통해 감정이나 이루고 싶은 것들, 하기 싫은 것들을 가시화 시키고, 우선순위 분류와 쉽거나 어려운 일을 나누고 나면 보이지 않던 해결 방법이 떠오르며 작은 용기가 싹틀 것이다.

'배를 만들고 싶다면, 바다를 동경하게 해라.'라는 격언이 있듯이 직관으로 감명을 받고 체득하는 것이 가장 좋으나 낯선 길을 나서기 전 간접 체험을 할 수 있는 방법이 있다. 20대 초 자기개발서 책에는 독서의 중요성에 대하여 강조, 또 강조를 했었다. 성공하는 습관이 없었던 나는 그들을 모방하며 이상향을 만들어갔다. 흥미로운 분야나 처음 접하는 비즈니스 영역을 알아 가고 싶을 때는 저자가 다른 도서를 10권을 읽었다. 이것이 어려울 때는 서울 도서관을 방문하여 같은 분야의 10권의 책의 목차를 비교하여 비슷한 맥락의 부분만 읽었다. 어느 분야나 성공했다는 사람들에게는 공통점이 있지만 사람이 쓴 책이기에 관점은 다양하다. 근래에는 SNS으로 많은 콘텐츠를 접하며 넓은 키워드를 습득하고 깊은 지식을 탐닉하다 보면 새로운 분야에서 흥미나 재능을 발견할 수 있고, 인생이 바뀔 수도 있다.

순 우리말인 사람의 말의 뿌리는 '살다'이다. 어근 '살다'에 접미사 '암'이나 '옴'정도가 붙어, 지금의 사람으로 변했다. 〈중부매일, 사람의 어원〉

일과 나의 하루에 대하여 고찰을 해 본 적이 있다. 하루의 시작을 자본주의 사회라서 반드시 출근을 해야 하는가를 생각해보았는데, 세상의 만물은 모두 살아가기 위해 하루하루 사투를 벌이고 있었다. 식물은 햇빛을 조금이라도 받기 위해 자신의 키와 이파리의 넓이를 조절하고, 가을이 되면 낙엽을 떨어뜨리며 다음 봄을 기약한다. 화려한 꽃을 피우는 것도 추운 겨울을 이겨내는 것도 오직 열매를 위해 살아간다. 눈을 뜨면 겨우 일어나 양치를 하고 세면을 하고 어쩔 수 없이 살아가는 것보단 각자의 계절에서 꽃을 피우고 한 번뿐인 삶의 값진 열매의 맛을 보았으면 한다. 열매를 맺기까지의 향하는 과정이 결코 쉬운 길이 아니지만 나답게 선택하며 당당하게 나아 갈 수 있기를 바라본다.

긴 글을 읽어준 여러분께 감사를 드립니다.
"오늘도 수고하셨습니다."

# 어른이 어른에게

한선정

한선정　어린 시절부터 활발한 성격에 호기심이 많아 하고싶었던 게 많았지만, 실패에 대한 두려움과 많은 생각들, 마음과 다른 행동력으로 인해 항상 아쉬움을 안고 지냈다. 무엇을 잘하는지, 좋아하는지 찾을 기회도 없었고, 반복되는 일상이었지만 끊임없이 재미를 찾고 싶어 했다. 재미있는 삶을 위해 앞으로는 새로운 것에 대한 경험과 도전을 즐길 생각이다. 이번 경험을 통해 작가가 되었고. 다음번엔 어떤 사람이 되어있을지 궁금하다.

## 0. 마음먹기에 달려있다.

"원효대사의 일체유심조 - 무엇이든 마음먹기에 달려있다"라고 한다.

나도 또한 원효대사의 말처럼 마음을 어떻게 먹느냐에 따라 오늘 하루가 달라지고 하루, 이틀이 쌓여 삶의 방향도 변화한다고 생각한다.

나의 행복을 위해 어떤 마음을 가지고 살아가야 할지 고민해 본 적도 없고, 배워본 적도 없다.

다만 일상의 경험 속에서 얻은 감정과 생각을 나만의 방식으로 해석하여 지난날의 나보다 조금 더 성숙하고 행복한 어른으로 만들었다.

행복의 시작이 긍정적인 생각과 마음가짐에서 비롯되는 것이라는 것은 깨달았고, 그 행복을 만들기 위한 이야기를 써 내려가 보려 한다.

# 1. 피할 수 없으면 즐겨라

"피할 수 없으면 즐겨라" 다들 한 번쯤은 들어봤을 말이다.

스무 살 때 처음으로 스키를 타러 스키장에 갔었다. 지방에서 자라 기껏해야 어릴 적 눈썰매를 타본 게 다인 나에게 스키는 거리가 먼 스포츠였다. 처음으로 스키를 탔지만 그래도 친한 선배가 강사로 일을 하고 있었기에 초급에서 겨우 넘어지지 않을 정도로 배울 수 있었다. 하지만 그래봤자 아기가 첫 걸음마를 떼는 정도였을 것이다.

"여기까지 왔으면 정상은 올라가봐야지!"

선배의 말에 아무 생각없이 친구들과 다 같이 정상에 올라갔다. 정상을 올라가려면 리프트를 타는 것도 아니었다. 곤돌라를 타고 올라가야 했다. 올라가면서도 '괜찮을까' 싶기도 했지만, '뭐 얼마나 다르겠어'라는 말로 스스로를 안심시키고 있었다.

친구들은 하나 둘 내려갔고, 나는 주저하느라 제일 마지막으로 내려가기 시작했다. 처음에는 완만했던 경사가 갈수록 가팔라졌다. 거기에 날씨까지 추워지며 눈이 얼어 얼음판이 되어있었다. 스키를 타는 게 처음인데다, 초보 딱지를 떼지도 못한 나는 당연히 미끄러질 수밖에 없었고 속도를 주체하지 못해 내려가는 루트가 아닌 다른 곳으로까지 미끄러졌다. 스키와 스틱 모두 사방으로 날아갔다. 미끄러지는 순간 눈을 질끈 감고 생각했다.

'나 이렇게 죽는 건가'

조심스럽게 눈을 떴을 때 이상한 자세로 눈밭에 널브러져 있었다.

어딘가 아파오긴 했지만 일단 몸이 움직여지니 크게 다치지 않았다는 사실에 감사하며 힘겹게 일어나 장비들을 주웠다. 다시 내려오려고 하는데 좀 전에 미끄러진 사고의 여파인지 다리가 후들거려 에스자 코너 한번을 그리지 못하고 계속 넘어졌다. 넘어지는 것을 반복하고 있는 도중 슬로프 마감 시간이 가까워졌고, 정상을 지키던 안전요원들이 내 뒤까지 내려와 있었다. 이 상태로 혼자서는 도저히 아래까지 내려갈 수 없을 것 같다는 생각을 할 때쯤 안전요원이 내게 말을 걸었다.

"도와드릴까요?"

나는 바로 "네"라고 대답할 수밖에 없었다. 결국 안전요원이 내 스키를 고정하였고 그에게 의지한 채 내려올 수밖에 없었다.

그 뒤로 스키라는 스포츠는 나에게서 점점 멀어지는 듯했다. 6년이 지나고 친구들과의 여행으로 스키장을 다시 방문했다. 내 의지대로 스키장을 온 것이 아니었고, 그때의 기억이 스키를 다시 타게 할 수 있을 거라고 생각하지 않았다.

그렇지만 어차피 이곳에 왔으니 그냥 밥만 먹고 갈 수 없진 않은가? 용기를 가져보기로 했다. 나를 믿고 한번 시도해보자. 못할 게 뭐가 있어. 마음가짐을 달리하니 덜 무서워지는 것 같았다. 그렇다고 다리가 쉽게 움직여지지는 않았다. 리프트를 타고 올라와 출발 지점에 섰을 때 오랜 시간 동안 망설였다. 하지만 나는 다시 리프트를 타고 내려갈 수도 없었고, 집에 가려면 스키를 타야만 내려갈 수 있었다. 그냥 한번 일단 재밌다고 생각하고 즐겨보자. 그런 생각으로 두근거리는 마음을 붙들고 가만히 서서 미끄러지듯 내려갔다.

막상 시작하고 보니 시작점에서 보던 높이보다는 낮게 느껴졌다. 그럼 발을 한번 굴러볼까? 그렇게 한 발짝 내디뎠고 처음에 배웠던 자세대로 시도해 볼 수 있었다. 그렇게 도착지점까지 내려오니 다시 한번 올라가고 싶어졌다. 즐겨보자라는 생각에서 시작한 다짐이 어려울 것 같았던 일도 극복할 수 있게 만들었고, 앞으로 스키를 더 잘 탈 수 있을 것 같은 기분에 흰 눈을 보면 설레곤 한다.

앞으로 나올 이야기들은 이렇게 직접 겪었던 일들을 바탕으로 행복한 삶을 만들기 위해 경험 속에서 어떤 것을 느꼈으며, 그 속에서 느낀 경험들이 나의 삶에 어떤 영향을 미쳤는지, 어떤 생각을 가지고 살아가고 있는지 말하려 한다.

소방공무원이 된 나는 화재현장, 구조현장에서 사람들에게 도움을 주는 일을 한다. 출동을 나가는 것은 봄 여름 가을 겨울 계절을 가리지 않았고, 날씨가 춥든 덥든 아무 상관이 없었다. 하루는 겨울날 영하의 온도의 새벽에 출동을 나간 적이 있다.

날이 무지 추운 데다 얼마 전 내린 눈으로 바닥은 스케이트장 못지않은 빙판길이었고, 내가 출동할 때 신는 신발은 고무장화였다. 이 고무장화가 현장에서 활동을 할 때 내 발을 보호하기도 했고, 이렇게 추운 겨울에는 나름 따뜻하기까지 했지만 빙판길에서는 아주 취약했다. 자칫 방심했다가 미끄러져 크게 다칠 수도 있는 상황이었지만, 신고가 들어온 지점으로 가기 위해서는 빙판길을 지나가야만 했다. 문득 스키를 다시 타게 된 때처럼 이 빙판길을 한번 즐겨보면 어떨까 하는 생각이 들었다. 어릴 때 가끔 눈이 얼어 빙판길을 지나갈 때 스키를 타듯 미끄럼을 타며 장난치던 생각이 났다. 미끄러운 고무장화를 이용해 스케이트를 타듯 왼발 오른발 슥슥 밀어보았다. 오히려 한 발짝 한 발짝 조심히 걷는 것보다 빠르고 안정적인 느낌이었다. 심지어 재밌기까지 했다.

앞으로 알 수 없는 미래에 어떠한 상황에 처한다 하더라도 즐겨보는 마음가짐을 가져보기로 했다. 이 마음가짐은 어렵거나 난처한 상황에 일을 해결할 때 주저하기보다는 해낼 수 있다는 용기를 가져다주었다.

## 2. 시간이 흐르고 나면 다 끝나 있다.

　처음에 소방공무원이 되면 소방학교에서 6개월간의 교육과 훈련을 받는다. 하루 종일 현장훈련부터, 이론교육까지 육체적으로도 정신적으로도 힘든 시간이었다.

　그중 제일 힘들었던 것은 눈뜨자마자 일어나 운동장으로 달려나가는 것이었다. 거기서 끝이 아니라 운동장과 소방학교 주변을 약 1시간 정도 뛰어야 했다. 눈이 펑펑 내려도, 한파에 세상이 꽁꽁 얼어도 뛰는 것은 계속되었지만, 비가 오는 날에는 뛰는 것을 하지 않을 수 있었다. 하느님을 믿는 것도 아니었고, 비 오는 날을 좋아하지도 않았던 내가 저녁에 잠이 들 때마다 기도를 하곤 했다.

　'제발 내일 아침에 비가 오게 해주세요'

　언제나 날씨는 내 편이 아니었고 어김없이 아침은 찾아왔다. 정말 싫지만 나는 오늘도 달려야 한다. 달려라 하니도 아닌데 매일매일 달려야 한다.

　몸이 힘들고 정신적으로 힘든 건 어쩔 수 없는 부분이었다. 그러나 어떻게 하면 이렇게 싫은 마음만은 좀 달래볼 수 있을까 생각해 본 적이 있다.

　기상 시간은 6시. 아침 잠이 많은데다 겨울의 아침은 깜깜하고 추워서 더욱 일어나기 싫었지만, 1시간 후 7시가 되면 나는 개운하게 씻고 맛있는 밥을 먹으러 갈 수 있다.

　'그래, 1시간만 버텨보자. 내 다리는 계속 움직이게 놔두고 시간이

흐르기만을 기다려보자'

그랬더니 정말 신기하게 버텨졌다. 1시간이라는 시간이 빠르게 지나간다고 생각하니 뛰는 것 또한 빠르게 끝나는 것만 같았다.

지금도 직업상 훈련을 하는 일이 많다. 현장 근무를 할 때는 아파트 30층 이상을 하루에 두세 번 올라갔던 적도 있고, 행정 근무를 할 때는 화재사고나, 구조 사고 등 규모가 큰 사건들을 행정적으로 지원하고 대응하기 위해 훈련을 하곤 한다.

매일 하는 훈련이지만 현장 훈련이든 행정 훈련이든 정말 정말 하기 싫을 때가 많다. 어떤 훈련이든 한번 진행에 2시간 정도를 해야 했다. 고된 훈련은 정신이 하나도 없을 때도 있고, 체력적으로도 버겁기도 했다. 그래서 그 시간이 너무나 고역일 때가 많았다. 하지만 어김없이 훈련시간은 찾아오고 오늘도 나는 훈련을 해야하는 상황이 다가온다.

'지금은 현재 9시지만 시간은 어차피 흐르고 11시는 2시간 후에 온다. 타임슬립처럼 시간 이동을 할 건 아니지만, 시간은 내가 잡고 싶어도 잡을 수 없다. 2시간 후면 모든 게 끝난다. 시간에 맡겨 보기로 하자'

소방학교에서 뛰며 생각했던 것처럼 이번에도 신기하게 버텨졌다. 심지어 금세 11시가 되어 훈련은 끝났다.

1년에 한번 소방공무원들은 체력시험을 본다. 내가 제일 힘들어하는 종목은 왕복 오래달리기. 20m의 거리를 음원의 신호에 맞추어 왕복으로 왔다 갔다 뛰어야 하는데 횟수가 올라갈수록 신호주기는 짧아진다. 회를 거듭할수록 숨은 가빠 오고, 다리는 말을 듣지 않는다. 왕복 오래달리기를 하는 시간은 7분. 7분만 참으면 된다. 1초 2초 3초 시간은 어김없이 흘러가고 겨우 7분. 나는 버틸 수 있을 것이다.

이렇게 너무나 하기 싫고 힘든 일을 해야 할 땐 시간에 맡겨보는 습관을 들이고 있다. 걱정 마라. 10분 20분, 한 시간 두 시간. 시간이 흐르고 나면 다 끝나 있다. 그리고 생각한다.

'와 금방 끝났다!'

## 3. 어려운 일이 아니야. 조금 귀찮은 일일뿐이야.

집을 구하기 위해 여기저기 알아보던 때가 있다. 지방에서 올라와 서울에서 취업을 하고 살다 보니 항상 내 몸 하나 뉠 곳이 필요했고 그 것은 2년에 한 번씩 반복된 일이었다.

처음에는 부모님이 마련해 주신 집에 오빠와 둘이 살았지만 오빠가 결혼한 후 혼자서 진짜 "독립"이라는 것을 해야 했다. 서울 집값은 날이 갈수록 미친 듯이 높아졌고, 나에게 집이라는 것은 저기 저 멀리 안드로메다에 있는 것만 같았다. 오죽하면 회사에서 "인생은 공수래공수거"를 외치며 "메뚜기처럼 전세나 전전하다 마감하는 것"이라는 말을 하고 다녔으니 말이다.

그렇게 이번에도 어김없이 이사를 가야 하는 상황이 왔고, 다음 집은 어디로 가야 하나 어떤 곳에 살아야하나 한숨만 나오는 상황에서 집을 알아보고 있었다.

그러다 내 답답한 마음을 유튜브도 알았던 걸까? 미친 알고리즘이 나를 부동산 관련 영상으로 이끌었고 무엇에 홀린 듯 영상들 속에서 추천해 준 책들을 읽기 시작했다. 일주일 정도를 잠도 거의 안 자고 영상과 책을 찾아보며 네이버 부동산을 뒤졌다.

어디서부터 갑자기 그런 마음이 생긴지 모르겠다. 집을 매수해야 겠다는 마음을 먹게 되었고, 회사에서 소위 부동산 전문가라고 알려진 선배에게 내가 알아본 집들과 생각들에 대해 상담을 요청했다. 운명이었던 걸까 내가 봤던 집이 그 선배가 현재 살고 있는 집이란다. 그렇다면 누구보다 그 집에 대해 잘 알 것이라 믿었고, 내가 골랐던 매물에 대해 물어보니 자기와 내일 당장 보러 가자고 하는 것이었다. 다음 날 그렇게 갑작스러운 임장을 하게 되었고 돌아오는 길에 많은 생각이 들었다. 일단 내가 집을 매수해야겠다고 마음은 먹긴 했지만 나중에 후회하지는 않을지, 내가 하는 선택이 맞는지 무서워졌다. 그냥 어떻게 해야 할지 막막하고 걱정만 계속되었다.

그러다 오빠네 부부에게 전화를 걸어 함께 상의를 하기로 하고 근처 카페에서 만났다. 나는 계속 걱정이 된다고 이야기를 했다. 새언니는 내 말을 쭉 듣더니 말했다.

"걱정이 되는 이유가 뭐야? 지금 일을 진행시키기 위해 어떤 어려운 부분이 있는지 구체적으로 이야기를 해봐."

어려운 일? 그 말을 듣고 곰곰이 생각해 보니 사실 어려운 일은 없었다. 지금 살던 집의 돈을 빼고 새로운 집을 계약하고 대출을 받고 등등... 여러 가지 일들이 있었지만 할 수 있는 일들이었다.

"음... 그런 건 없는 거 같아요."

"그래, 어렵고 할 수 없는 일이 아니야. 그냥 해보지 않은 일에 대한 막연한 걱정이 들 뿐, 조금 귀찮은 일들을 해야 할 뿐이야."

그 말을 듣고 무릎을 탁 쳤다.

'내가 지금 처한 상황이 절대 어려운 일을 해야 하는 상황이 아닌데, 나는 착각하고 있구나. 그냥 조금 귀찮은 일들을 처리하면 되는 건데.'

그 뒤로 바로 계약금을 입금하고 나는 저 멀리 안드로메다에나 있을 것이라 생각했던 집주인이 될 수 있었다.

그 뒤로는 어떤 일을 앞두고 있을 때는 내가 진짜 어려움에 처한 상황인지 그냥 단순히 귀찮은 일들을 많이 해야 하는데 어렵다고 착각하고 걱정만 하는 것인지 고민해 보게 되었다.

회사 업무를 할 때도 새로운 일을 접할 때가 있다. 간단한 물건을 하나 사더라도 비교견적을 받아 결재를 받고 계획을 세우고 물건 검수를 하고 지급을 하고, 어떤 일을 추진할 때 여러 부서에 협조를 구하고, 결재를 받고, 여러 가지 절차를 거쳐야만 한다.

'아, 이거 다 언제 하지? 어떻게 해야 하지? 막막하네.'

그럴 때면 막연한 걱정부터 앞선다. 그럴 때마다 새언니가 했던 말을 떠올린다.

'지금 나는 업무적으로 어려운 상황인가? 아니면 단순히 귀찮은 일들을 처리해야 하는 상황인가?'

어려워서 못할 것은 거의 없다. 귀찮을 뿐이지.

## 4. 내가 먼저 나를 이해하기

연애를 하면서 제일 어려운 부분이 서로를 이해하는 것이라고 생각한다.

가끔 서운한 일이 생기면 서로가 그 서운함을 상대에게 표출한다. 그게 때로는 짜증이 섞일 때도 있고, 나를 이해하지 못하는 상대에게 나를 왜 이해하지 못하냐며 더 화를 내기도 한다.

항상 그렇게 싸움이 되었던 것 같다.

연애를 하면서 싸우는 과정들이 나를 매우 힘들게 했다. 서로가 서로를 이해하지 못하는 상황에서 정말 말도 안 되고 별거 아닌 이유로 감정 소모를 하는데 지칠 대로 지쳐본 적이 있다.

'내가 다 참으면 되는 걸까? 아니면 모든 것을 참아주는 사람을 만나야만 하는 건가? 나는 연애가 맞지 않는 사람인가?'

그냥 '그럴 수도 있구나, 그렇구나'하며 상대를 이해하면 되는데, 서로 사랑하기만 해도 부족한 시간에 왜 이런 어이없는 감정 소모를 하며 시간을 허비해야 하는지도 도무지 이해가 되지 않았다.

'상대에게 내가 왜 이런 감정을 느끼게 됐는지 설명해 준 적이 있나?'

문득 이런 생각이 들었다. 그러고 보니 나도 내 스스로가 지금 왜 서운한지, 왜 짜증이 나는지 이유를 명확히 모르겠는 경우도 있었다. 나도 내가 이해가 되지 않는데 상대가 나를 당연히 이해해 주길 바라는 마음. 애초에 말이 안 되는 것이었다. 그래서 어떤 감정이 들 때, 내가

왜 이런 서운함을 느끼는지, 화가 나는지를 먼저 생각해 보고 나의 감
정에 대해 상대에게 설명해 보기로 했다.

한번은 어떤 모임 자리에서 애인이 타인에게 가벼운 장난을 쳤는
데 그 장난을 보고 있는 나는 묘하게 기분이 나빴다. 그냥 넘어가면 되
는 문제라고 생각은 했지만, 이 기분 나쁨이 계속 머릿속을 맴돌았다.
단순하게 "아까 기분이 나빴다"라는 말을 하고 싶었지만, 왜 내가 기
분이 나빴는지 상대에게 이야기하려고 하니 그냥 묘~하게 기분이 나
쁠 뿐 이유는 명확히 알 수가 없었다. 이전에 감정 소모를 하던 때처럼
"내가 기분이 나쁜 부분을 네가 스스로 잘 이해해 보도록 해"라는 느
낌의 말은 하고 싶지 않았다.

나를 좀 멀리서 바라보기로 했다.

그 모습이 왜 기분이 나빴던 것인지, 왜 싫었던 것인지. 저녁밥을
먹으면서도 샤워를 하면서도 생각했다. 어김없이 아침에 머리를 감으
며 생각하는데 번뜩 이유가 떠올랐다.

모임 안의 서로가 잘 아는 친한 사람에게 같은 장난을 쳤다면 기분
이 나쁘지 않았을 것이다. 상대가 잘 알지도 못하고 친하지도 않은 사
람에게 가벼운 장난을 치는 것이 과도한 친절함을 베푸는 것, 그리고
이것이 그 사람에게 혹시나 오해를 줄 수도 있겠다고 생각했기 때문
이었다. 그렇다 이 모든 것이 "질투"에서 비롯된 것이라는 것을 깨달
았다.

이유를 찾고 나니 내가 왜 이런 기분을 느꼈는지 나 스스로가 이해

가 되었다. 내가 그런 기분을 느꼈던 이유와 함께 상대에게 나의 감정에 대해 설명했다. 상대는 충분히 그렇게 생각할 수 있고, 나를 금방 이해할 수 있게 되었다고 말했다. 더 나아가 나의 감정에 대해 본인이 이해할 수 있도록 설명을 해준 것이 고맙다고 했다.

이렇게 어떤 트러블이 생길 경우 한 발짝 떨어져 나의 감정을 바라보는 연습을 하고 있다. 나를 먼저 이해하고 상대에게 내 감정에 대해 설명하면, 어떤 일이든 지혜롭게 풀어가며 서로를 좀 더 쉽고 깊게 이해할 수 있고, 그뿐만 아니라 순간의 감정으로 소중한 것을 잃지 않을 현명함도 생길 수 있을 거라 믿는다.

## 5. 힘들었던 시간은 나를 더 단단하게 만들었다.

　회사에 다닌 지 6년 차쯤 되었을 때였다. 내 성격은 자기주장을 할 줄 알며, 활발하고, 동료들과도 잘 어울리고, 일도 곧잘 하는 직원이라고 생각했다. 어디서부터 꼬였던 걸까. 나에게는 친한 동료 둘이 있었다. 한 명은 선배였고 다른 한 명은 같은 계급의 동료였다. 그중 선배는 사람들의 입방아에 많이 오르내렸다. 나에게는 오히려 조언들과 좋은 말들을 해주는 선배였기에 다른 사람들이 어떻게 이야기하는지는 중요하지 않았다. 실제로도 그랬다. 그 선배는 일도 잘하고 성격도 좋았으며, 윗사람들에게도 매우 잘했다. 그 선배를 겪어본 사람들은 칭찬 일색이었으니 말이다.

　공무원인데다 계급 문화까지 더해져 더 경직되고 수직적인 조직이다 보니 모든 것을 잘하는 선배는 비슷한 계급의 동료들에게 아니꼽게 보이기 십상이었고, 그런 모습들을 질투하는 사람들이 많았다. 물론 모두가 그 선배를 질투해서 싫어한 것만은 아닐 것이다. 다만, 사람을 겪어보지 않으면 알 수 없듯, 그 사람이 어떤 사람인지 정확히 알지도 모르는데 쉽게 이야기하는 사람들이 너무나 많았다.

　결국 선배를 직접 겪어보지 않았던 사람들은 주변 사람들이 하는 이야기를 나르고 헐뜯기에 바빴고, 그렇게 말 많은 사람들의 희생양이 되었다.

　그런데 어느 날 회식 도중 팀장님께서 "나는 처음에 너에 대한 편견이 있었어. 근데 겪어보니 아니네. 다 그 선배 직원하고 친하니까 그런 거야. 너와 함께 일해보지 않은 사람들은 그와 같은 사람이라고 생각해. 내가 진짜 안타까워서 하는 말이야.”

너무 충격이었다. 나는 내 소신껏 열심히 일하고 잘하고 있다고 생각했는데, 나 또한 그 선배처럼 사람들에게 물어뜯기고 있다니. 이게 무슨 말인가. 그렇다면 나머지 한 명인 같은 계급의 동료는? 그 친구에 대해서도 사람들이 나와 비슷한 이야기를 할까? 그렇지 않았다. 그 동료는 사람들에게 온순한 성격에 속으로 삼키면서 참는 성격이었기에 바보같이 착한 아이 정도로만 인식하고 있었다. 그럼 나는 뭐가 문제인 거지? 일단 사람들에게 내가 그 선배와 친하면서 할 말은 하는 성격인데다 인상이 순한 편이 아니라 그렇게 보인단다.

내가 지금까지 회사 생활을 잘못해 온 것일까? 자책의 시간들이었다.

같은 계급의 그 동료처럼 나도 아닌 것에 속으로 삼키며 말하지 않고, 할 말도 꾹꾹 참으며 뭐든 다 괜찮은 것처럼 회사 생활을 했어야 했나? 앞으로 나는 어떻게 회사 생활을 해야 하는지 막막해졌다.

회사를 가는 것도 싫었고, 사람들을 마주하는 것도 싫었다.

스스로 이 정도면 잘 살고 있다고 믿었다. 남들에게 폐를 끼치지 않고 주도적으로 내 삶을 만들어가는 나는 훌륭한 사람이었다. 그 자존감이 나를 살아가게 하는 이유였고, 열심히 살게 하는 원동력이었다. 이 모든 것들이 한순간에 다 무너져 내리는 기분이었다.

시간이 약이라는 말처럼 그렇게 몇 주쯤 지났을까. 들끓었던 감정도 조금씩은 수그러드는 것 같았다.

'어떻게 모든 사람들이 나를 좋아하겠어? 싫어하는 사람이 있는 건 당연한 거야. 괜찮아 다 괜찮아.'

스스로를 조금씩 위로하고 있었다.

직업상 트라우마를 겪고 있는 분들이 많다 보니 심리 상담을 하는 프로그램이 있다.

참여하면 커피 쿠폰 주겠다는 홍보에 우연히 쿠폰 하나 받아보겠다는 마음으로 MBTI 검사 한번 해보려 참여하게 되었고, 검사를 하며 심리 상담 전문가와 이야기를 할 수 있는 시간이 생겼다. MBTI 검사를 다 하고 시간이 남으니 혹시 고민이나 힘든 것이 있으면 이야기해도 좋다는 상담 선생님의 말에 머뭇거리다 지금 나의 상황에 대해 이야기했다. 상담 선생님은 내 이야기를 쭉 듣더니 종이에 버스 한 대를 그리기 시작했다.

"자, 선생님이 버스 기사라고 생각해 보세요. 지금 뒤에 이렇게 많은 승객들이 타고 있는데 이 사람 저 사람이 '이렇게 가라.' '저렇게 가라.' 말하고 있다면 모든 사람들의 말을 들으면서 목적지에 갈 거예요?"

나는 대답했다

"아니요."

"맞아요. 인생은 버스와 같아요. 승객들의 말도 어느 정도는 중요하겠지만, 내가 가고 싶은 방향, 목적지는 내가 정하는 거예요. 그러니까 너무 걱정하지 않아도 돼요. 지금 충분히 잘하고 있는 거예요."

확실해졌다. 내가 결론을 내리고 생각하는 게 맞구나.

나를 알지 못하는 이들이 하는 이야기들. 이제는 신경 쓰지 않기로 했다. 오히려 더 단단해졌다. 나는 나를 좋아하는, 내가 좋아하는 주변 사람들을 다 챙기기도 벅차다. 나는 버스 기사라서 모든 사람들을 다 신경 쓰고 목적지에 갈 수 없다. 그냥 내가 가고 싶은 방향대로 꿋꿋하게 나아가면 된다. 분명 나를 겪어본 사람들은 나를 좋아할 테니.

## 6. 심호흡을 크게하고 감정을 눌러보기

　하루는 친구와 저녁을 먹기로 한 날이었다. 마침 볼일이 있어 밖에 나오기도 했고, 친구도 멀리 나갈 수 없는 상황이라 내가 친구의 집 근처로 가기로 했다. 가는 도중 친구와 통화하며 도착시간을 말해줬고 친구도 분명 알았다며 대답했다. 도착해서는 집 앞 놀이터에 도착했다며 그리로 오라고 카카오톡을 남겨놓고 기다리고 있었다. 도착한다고 말했던 시간보다 10분쯤 지났다. 처음에는 핸드폰을 만지며 혼자서 시소에 앉아 발도 굴러보았다. 이번에는 그네에 앉아 핸드폰을 만지며 그렇게 20분. 금방 나오겠지 생각했는데 친구는 그림자조차 보이지 않았다. 30분이 지나고 집에 일이 좀 길어지나? 그래도 도착시간을 알고 있으니 금방 나오겠지. 시간이 갈수록 이제는 집에 무슨 일이 생긴 것은 아닌지 걱정이 되었다. 그렇게 한 시간이 되었고 급한 일이라면 연락이라도 해주지라는 생각이 들어 전화를 걸었다.

　"도착했어?"

　수화기 넘어 들려오는 목소리는 다급함이라고는 전혀 찾아볼 수 없었다.

　"응? 아까 내가 도착시간 이야기해 줬잖아. 놀이터에 도착해 있다고 카카오톡 남겨놨는데 안 나와서 전화하는 거야. 무슨 일이 있는 거야?"

　"뭐라고? 일단 바로 나갈게."

　2분쯤 지났을까 친구는 다급하게 뛰어나왔다.

"진짜 미안해. 내가 시간을 착각했어. 아까 통화하면서 시계를 잘못 봤지 뭐야. 정말 미안해."

친구는 당연히 나에게 미안하다고 이야기하지만 내가 한 시간을 기다리게 된 사실이 약간의 화가 났다. 미안하다고 말하는 친구에게 아무 말도 하지 않았다. 어떤 말을 어떻게 하든 지금의 기분이 표출될 것만 같았다.

화가 나는 감정을 누르고 심호흡을 몇 번 했다. 이해해 보려고 노력했다. 친구는 이미 나에게 사과를 했고 더 이상 해줄 수 있는 것은 없다. 어차피 일은 벌어졌으며 나의 한 시간은 돌아오지 않는다. 그렇다면 짜증 내고 화낼 시간에 이 친구와 원래 만나기로 했던 즐거운 만남을 가지면 되는 것이다. 짜증 내고 화를 내봤자 즐거울 수 있는 시간까지 낭비하는 것이다. 이제부터 남은 이 시간이라도 유용하게 잘 써야 한다고 생각했다.


나의 부모님은 늦깎이 대학생이다. 배움에 대한 열정으로 늦게나마 대학에 들어가셨고, 그 열정을 실현하기 위해 노력 중이다. 하지만 휴대폰 앱 하나 새롭게 설치하는 것도 어려워하다 보니 발표 PPT, 리포트 등 부모님에게는 너무 어려운 일들의 연속이었다. 더욱이 지방에 계시다 보니 옆에서 쉽게 도와줄 수 있는 사람도 없어 오랜 시간 동안 전화를 해서 설명을 하며 가르쳐 줘야 했다.

그러다 보면 의사소통이 되지 않아 너무 답답할 때도 많고 짜증과 화가 확 올라올 때가 있다.

이런 감정을 누르고 심호흡을 몇 번 했다. 짜증을 내지 않고 이해해 보려고 노력했다. 부모님은 잘 모르셔서 나에게 물어보는 것이고, 어차피 이것은 내가 도와주지 않으면 되지 않을 문제이다. 자식인 내가 아니라면 누가 도와주겠는가? 부모님도 내가 아니면 도와줄 사람이 없어서 서울에 사는 나에게까지 연락하여 물어보는 것이다. 어차피 도와줘야 한다면 나도, 부모님도 모두가 기분 좋게 마무리하면 좋지 않을까? 차근차근하다 보면 결국 해낼 테니 서두르지 말자. 이렇게 나의 감정에 대해 바로 말하기 보다는 잠시 심호흡 몇 번으로 마음의 여유를 갖는 습관을 가지기로 했다. 내가 스스로 감정을 컨트롤할 수 있도록 노력하는 방법이다.

# 7. 긍정적으로 생각하기

집에 내려가려면 기본 3시간을 운전해야 한다. 특히 명절에는 두 배 이상을 차 안에서 시간을 보내야 한다. 매년 집에 내려갈 때 겪는 일이지만 작년 추석에 남들보다 막히지 않은 시간에 가보겠다고 혼자 눈치싸움을 하며 새벽에 출발했었다. 새벽에 출발한데다 잠도 많이 못 자고 가다 서다를 반복하다 보니 졸음이 몰려왔고 결국 접촉사고를 냈다. 운전을 시작하고 처음으로 낸 사고에 너무나 속상했지만 그렇다고 집에 내려가는 일을 하지 않을 수는 없었다.

올해 추석 역시 집에 내려가기 위해 운전대를 잡았다. 이번에는 눈치싸움 같은 거 하지 않고 잠 푹 자고 해가 떠있을 때 안전하게 내려가야지. 내비게이션에 찍히는 시간은 7시간. 고속도로는 막히는지 국도로 안내하고 있었다. 일단 출발해서 가는데 고속도로처럼 가다 서다를 반복하지는 않았지만 시골 어느 마을을 지나, 마을을 지나 마을을 지나 끝도 없이 운전을 했다.

오랜 운전으로 힘이 들기 시작했다.

"하..."

한숨이 나오기 시작할 때쯤 환기를 시키고자 창문을 내렸다. 시골 마을을 지나다 보니 서울 공기와는 다른 시골의 공기가 콧속으로 확 들어왔다.

'맞다. 지금 나는 시골 마을 구경을 하며 좋은 공기를 마시면서 갈 수 있구나? 지금 나는 여행을 하는 기분으로 구경도 하며 좋은 공기를

마실 수 있는 여유를 가진다는 것이 너무 즐거운 일인데. 그걸 알아채지 못했었네?'

좋은 공기 덕분에 오래 걸리는 귀성길이 즐거워졌다.


대부도로 회사 워크숍을 간 적이 있다.

자고로 회사 사람들은 회사에서만 보아야 하거늘 주말까지 만나야 한다니. 거기에 내 황금 같은 주말을 회사 사람들을 만나는데 쓴다는 게 실화인가. 가기 전부터 사회생활 참 힘들다는 생각을 했다.

겨울이라 날씨도 너무 추웠고 점심밥으로 준비한 것은 회사 인근에서 포장한 김치찌개였다. 물론 김치찌개가 맛있는 집이긴 했지만, 이런 날엔 그냥 간단히 칼국수나 한 그릇 사 먹으면 되지. 굳이 여기까지 김치찌개를 포장해와서 나눠 먹는 것이 귀찮지도 않은지 의문이었다. 김치찌개를 한소끔 더 끓여 밥과 찌개를 각자의 그릇에 옮겨 담았다. 제 앞에 김치찌개와 하얀 쌀밥을 두고 먹으며 다들 "와~맛있다." 감탄을 하고 있었다.

한 숟갈 내 입에도 가져가 보니 와. 고기는 이렇게 부드러울 수 없었고 김치는 푹 익어 내가 딱 좋아하는 맛이었다. 이렇게 추운 날에 호호 불어가며 먹는 뜨끈한 김치찌개와 흰쌀 밥. 이런 곳에 와서 먹어야만 느낄 수 있는 맛이었다.

'맞아. 저녁에는 이런 곳에 와야만 먹을 수 있는 바비큐도 준비되어 있어. 거기에 새우와 굴, 키조개도 구워 먹는다고 하던데 진짜 맛있겠다'

이렇게 생각하고 보니 저녁밥도 기다려졌다. 저녁밥에 대한 기다림으로 설레는 기분이 들어서였을까 나의 시간들을 가만히 구경만 하며 재미없게 흘려보내고 싶지만은 않았다.

그렇게 신나게 노래도 부르고 게임도 하고 즐거운 시간이 될 수 있었다.

사무실에서 직원들과 다 같이 간식을 먹다 음식을 떨어뜨린 적이 있다.

"으앗!"

내가 소리치는 것을 들은 동료가 이야기했다.

"선정이 지금 짜증 낸 거야?"

"아니요? 세상에 힘든 일이 얼마나 많은데 겨우 이런 일로 짜증을 내겠어요?"

"오. 역시 긍정적인 아이야"

언제부터였는지는 모르겠다.

어떤 것이든 할 때 '괜찮아. 그럴 수 있어'라고 생각한 것이.

분명한 건 나도 원래 긍정적인 사람도 아니었고, 처음부터 이런 생각을 가졌던 것도 아니다.

퇴근 시간에 길이 많이 막혀도 '괜찮아 차에서 노래들을 수 있는 시간이 생겨서 좋아'

길을 잘못 들어 좀 돌아가게 되더라도 '괜찮아 덕분에 새로운 길을 구경하면서 갈 수 있어'

친구와의 약속이 취소되더라도 '괜찮아 덕분에 혼자 여유롭게 쉴 수 있는 시간이 생겼어.'

여행 중 일정을 다 소화하지 못하더라도 '괜찮아 덕분에 여유롭게 여행할 수 있었어.'

이렇게 지금 나의 일상 속에서 나쁜 점보다는 좋은 점을 찾아보려고 노력하고 있다.

그렇다면 어떤 일이든 재미있게 만들 수 있고 즐겁게 기분 좋게 할 수 있을 것이다.

## 8. 누군가에게

대학생 딸을 둔 엄마인 동료가 한 분 있다.

어느 날 그분이 나에게 물었다.

"선정이도 컴퓨터 활용능력 1급 실기 볼 때 많이 떨어졌었니?"

"음... 실기만 6번 정도 봤던 것 같아요."

"내 딸이 이번에 컴퓨터 활용능력 1급 실기를 보고 왔는데 떨어졌어, 근데 너무 상심이 큰가 봐. 울면서 전화했지 뭐야."

"주임님 그 시험은 그냥 돈을 막 써야 붙을 수 있는 시험이에요. 제가 아마 상공회의소 유리창에 제 지분 꽤 있을걸요?"

"정말? 원래 그런 시험인 거야?"

"네 저희 새언니 되게 똑똑한 거 아시죠? 새언니는 7번 만에 붙었대요. 이게 다들 한 번에 붙는 시험이 아니래요. 이 시험은 계속 쉴 틈 없이 보다 보면 어느 순간 붙는 시험이에요. 그러니까 상심하지 말고 계속 보라고 전해주세요."

"혹시 내 딸하고 전화 한 통 해줄 수 있어?"

"그럼요. 전화기 이리 주세요."

신호음이 멈추고 수화기 너머로 우울함을 한가득 안고 있는듯한 목소리가 들려왔다.

"여보세요"

"안녕? 엄마가 전해주라고 한 말이 있어서 잠시 전화했어. 시험 떨어져서 많이 슬프구나? 나는 6번 만에 합격했어. 심지어 필기는 3번이나 봤는걸? 상공회의소 창문 여러 장은 내가 바꿔줬을 거야. 그리고 우리 새언니도 7번 만에 붙으면서 자기가 봤던 시험 중에 가장 어려운 시험이라고 그러더라. 임용고시도 한 번에 패스한 사람인데 말이야. 다들 그렇게 어렵게 붙는 시험이니까 너무 슬퍼하지 말고 다시 도전하면 돼. 이 시험은 시간과 정확성 싸움이라 몇 번 보다 보면 노하우가 생겨. 그렇게 금방 합격하는 거야."

"정말요?"

"그래. 나는 심지어 일을 쉬는 날 틈틈이 가서 시험 보곤 했는데, 시험이 아니었다면 늦잠이나 잤을 텐데 아침 일찍부터 움직이게 만든다고 생각하니까 뭔가 부지런해지는 것 같기도 하고 좋더라고. 내가 원래 되게 게으르거든. 심지어 상공회의소 앞 지하철역 입구는 에스컬레이터도 없고 계단 엄청 많은 거 알지? 거기 계단을 며칠 동안 올라가다 보니까 다리 살도 빠지는 것 같았다니까? 그러니까 너무 슬퍼하지 말고 실패하는 경험을 했다고 생각하면 어떨까? 나는 그런 경험들이 모여 결국 합격하게 된다고 생각하거든. 그렇게 합격했을 때 더 기쁘고 뿌듯할 거야."

"좋은 말씀 너무 감사합니다. 기분이 조금 나아지는 것 같아요"

전화를 끊고 주임님은 내게 고맙다고 말씀하셨다. 그리고

"다른 건 모르겠지만, 내 딸이 너처럼 세상에 나와 힘들 일을 마주했을 때, 긍정적으로 생각하면서 스스로 꿋꿋하게 이겨낼 힘이 있는 아이로 컸으면 좋겠어."

누군가를 가르치고, 잘난 척을 하고싶은 게 아니다.

긍정적인 영향력은 물결이라고 한다. 작은 행동이 큰 파동을 일으키며, 이 파동이 모여 큰 변화를 만들어낼 수 있다.

나의 이야기들과 생각들을 통해 작게나마 마음이 편안해짐을 느꼈으면 좋겠다. 더 나아가 이 편안해짐이 성숙한 어른이 되고자 하는 이들에게 긍정적인 영향력을 주고 싶다.

# 9. 행복

누군가 나에게 물어본 적이 있다.

"앞으로 어떻게 살고 싶어요?"

"행복하게요."

"구체적으로 행복하게 살아가는 게 어떤 거예요?"

"그냥 단순하게, 나 지금 행복하게 살고 있다는 마음이 들면 돼요."

어떻게 살아가든 그냥 나중에 늙어서 내가 생을 마감할 때 "내 인생 참 행복했다" 말할 수 있으면 되는 거다.

인생을 어떻게 살아갈지 구체적으로 생각해 본 적이 거의 없지만 내가 이렇게 살아가게 된 데이는 다 이유가 있었다.

살면서 한 가지 바라는 것이 있다면 내가 살아가면서 내리는 결정들을 후회하고 싶지 않았다.

후회가 없으려면 매 순간 열심히 살아서 그 순간들을 행복하게 만들어야 한다.

10여 년 전쯤 20대 초반에는 다른 사람의 장점보다 단점을 더 많이 보는 사람이었다.

나보다 잘난 사람을 보면 깎아내리기 일쑤였고, 나에게 지적을 하기라도 하면 그 두 배로 돌려주었다. 내 말이 다 옳았고, 고집도 셌다.

어떤 특별한 계기가 있었던 것은 아니었다. 어느 날 문득 이런 내 모습이 보였다.

남들에게 나쁜 소리를 하고 고집을 부릴 때 나의 마음은 더 나빠지는 느낌이었다.

이런 모습은 결국 나의 자존감을 깎아내리는 것이었고, 내가 스스로를 더 불행하게 만들고 있다는 것을 깨달았다.

그러면서 좀 달라져야겠다고 생각했다.

상대의 감정을 배려하고, 상대를 인정하고 존중하는 것. 세상을 바라볼 때 좋은 점을 보는 것이 결국 내가 행복해지는 길이었다.


어떤 사람들은 내가 이렇게 생각하는 것들이 결국은 자기방어를 하기 위한 것이 아니냐고 한다. 맞다. 나는 내 마음이 다치지 않았으면 좋겠다. 나는 나를 상처 입히지 않기 위해 나를 보호하고 있다. 나를 너무 사랑하기에 행복하기만 했으면 좋겠다. 가능하다면 내가 살고 있는 하루하루를 더욱더 행복하게 만들고 싶다.


언제든 행복하게 살고 싶다는 생각으로 힘든 일을 마주했을 때 그 상황들을 좀 더 지혜롭게 해결해 나가고 싶다. 그 행복한 삶을 만들기 위해서 나만의 방식으로 내 삶을 꾸려나가고 싶다.

모두가 자신을 많이 사랑하면 좋겠다.

감정에 휘둘려 스스로를 괴롭히는 것이 아니라 자신의 마음이 더 행복할 수 있도록.

누군가에게도 나의 이야기가 작게나마 도움이 될 수 있으면 좋겠다.

# 우리의 내일

윤슬

윤슬

세상에는 수많은 글들이 존재합니다. 수많은 글들이 독자들을 울리고, 웃기고, 웃음 짓게 합니다. 전 이제 막 제 글을 세상에 내놓기 시작해 독자분들께 이렇게 제 글을 보여드리는 것만으로도 떨리고 겁이 납니다. 하지만 저 또한 글을 써가면서 제 스스로 위로 받고 성장해오며 행복해했듯 독자분들도 제 글을 읽고 조금이나마 위로 받고, 한 번이라도 웃음 지었으면 좋겠다는 마음으로 글을 썼습니다. 앞으로 무슨 일이 생길지 알 수 없기에 더 불안하고 힘든 부분도 있겠지만 적어도 오늘에 내가 어제보다 괜찮았다 나 자신을 믿고 발전해 나가는 독자분들이 되시기를 바라겠습니다.

# 이별

　"그래 나 잘났다. 내가 잘라가는데 네가 보태 준거라도 있냐?

　맨날 남들 만나면 다 네가 사는 것처럼 다 네가 선물해 주는 것처럼 굴면서 결국에 우리가 더치페이 안 한 게 뭐가 있어? 남들은 다 부럽다고 한 네가 사준 그 구찌 미니 백? 야 넌 나 150짜리 미니 백 사주고 너 생일날엔 샤넬 갖고 싶다고 샤넬 샤넬 노래 부른 거 기억 안 나? 그것도 난 150짜리 사주고 너 생일날은 350짜리를 사 달라고? 그런데 뭐 맨날 그러는 것도 아니고 크리스마스에 길 가다 귀마개 예뻐서 사 달라고 하는 게 개념이 없는 거야? 왜 저번에 너 인사동 갔을 때 짱구 에어팟 케이스 사 달라고 사 달라고 하더니 그럼 너 행동은 개념이 있는 행동이냐? 아 그리고 너 친구들 만나러 갈 때 기억 안 나? 본인 차 쪽팔리다고 내 차 빌려 달라고 해서 내 차를 너 차인 것 마냥 끌고 갔다 왔지? 인스타에 아주 본인 차 마냥 사진 찍어서 자랑자랑 해대더니 뭐 그런 애가 나한테 `김치녀? 드라마에 나오는 남자 주인공처럼 김치로 맞아봐야 정신 차리니? 아니면 맞아도 정신 못 차리나? 와 뇨 진짜 어이가 없고 찌질 해서 못 봐주겠네. 야 너의 그 잘난 허세 나도 더 이상은 싫어. 너 질린다고 질려 알아? 그래 헤어져. 평생 내 눈앞에 띄지마. 이 개념을 밥 말아 먹은 새끼야."

이곳은 신촌 사거리다. 신선한 크리스마스 캐럴이 아주 정겹게 울리고 있는 이곳. 평상시에도 유동인구가 많은 곳인데 크리스마스라 그런지 사람 지옥이 따로 없다. 특히 커플들. 이리저리 둘러봐도 다 커플이다. 크리스마스는 어린이들을 위한 날 아니었나? 아니지 예수님 탄생일이지. 그런데 언제부터 커플들을 위한 날이 되어버린 건지. 하. "30살 크리스마스에는 꼭 남자친구랑 데이트하게 해주세요"간절히 빌어왔는데 내 인생 소원을 들어주는 산타 할아버지는 존재하지 않나 보다. 나 지금 차인 건지 내가 찬 건지 모르겠지만 남들은 하하 호호 웃기 바쁜 크리스마스에 이별한 여자다. 그렇다. 나 정아현 결국 크리스마스에 성질머리 못 참고 결국 헤어졌다. 아 생각하니 또 열받네? 커플 이별법 제65조 비싼 오마카세 예약해 놓고 헤어지는 건 돈 날리는 미친 짓이니 헤어지기로 결심했어도 예약한 오마카세는 먹고 헤어짐을 고하라. 허 넌 그 흔한 예의조차 없냐? 아 돈 날렸네 돈 날렸어. 내가 얼마나 힘들게 번 돈인데. 그나저나 나 진짜 크리스마스 날 차였어? 어디 가서 쪽팔려서 살겠나. 어쩌겠어. 오늘은 죽자고 달려 야지. 근데 나 진짜 이렇게 헤어져? 다시 생각만 해도 열받네. 내 눈에 띄기만 해봐라. 넌 진짜 죽었다. 근데 나 오늘 혼자 처량하게 혼술 해야 하는 건가? 오랜만에 데이트한다고 꾸미고 백 만년만에 화장도 했는데

열이 받는다. 무척 받는다. 왜 하필 많고 많은 365일 중 크리스마스에
헤어진 건지. 신촌사거리 반짝거리는 큰 대형 트리 아래 초라하게 혼
자 서 있는 내가 너무 원망스럽다. 왜 하필 크리스마스에 이 난리 법석
을 쳐서 친구들 하고 위로주 한잔 못 마신단 말인가.

## 아픔

뚜뚜 뚜뚜. 고객님이 전화를 받지 않아 음성서비스 함으로. 친구들에게 전화를 아무리 해봐도 받지 않는다.내가 너희들 마셔준 위로주만 소주로 쳐도 짝이 넘을 텐데. 아무리 크리스마스지만 전화는 받아줘야 하는 거 아닌가?데이트하느라 다들 바쁘시다? 그래. 내 마지막 희망은 너다 박우주. 너라도 내 전화를 받거라. 받거라. 받아라. 받아야 한다.

"여보세요?"

"나야"

"뭐냐? 차였냐? 집으로 와"

"아니 왜 내가 차여? 내가 뭐가 부족해서. 내가 찬 거라고 생각 안해?"

"그래. 안 한다."

"그래… 나올래? 이 언니 오늘 좀 예뻐."

"추워. 이불 밖은 위험하니까 빨리 와"

간결한 통화가 끝났다. 아니 그나저나 애는 헤어진 건 어떻게 안 거지? 어디서 나 지켜보고 있나? 나 말 안 했는데. 그리고 또 차인 건 어떻게 안 거야. 내가 차일 관상인가? 귀신 같네. 무서워 박우주.

추워서 입김이 나는 건지 화가 나서 내가 김을 뿜는 용가리가 된 건지 모르겠다. 왜 길거리에 있는 사람들은 온통 다 나만 쳐다보는 것 같지? 저기요. 다들 헤어진 사람 처음 보세요? 아니다 헤헤. 이건 다 내가 예뻐서 그런 거다. 그래 정아현. 현재 나이 만 만! 29세 아직 서른 아님. 키 164에 몸무게 49. 아니지 나도 양심은 있지 50kg. 학벌 연세대 경영학부 졸업에 서울대학원 로스쿨 졸업. 심지어 직업은 변호사다. 어리지 예쁘지. 그리고 심지어 능력도 있다. 갖출 건 다 갖췄는데 근데 나 왜 차였냐. 내 위안을 하면 할수록 오히려 마음만 더 아파지는 것 같다. 오늘은 그냥 죽도록 달리는 게 답인 것 같다.

그래. 오늘 내가 편의점에 있는 술 다 휩쓸어주마. 나는 지금 무진장 배가 고프거든?

황소 같은 기세로 편의점으로 달려가 냉장고 문을 열고 입김을 씩씩 불며 참이슬 6병을 바구니에 담는다.

그래 6병은 좀 적지? 6병 받고 3병 더. 아 근데 오늘 크리스마스인데 이렇게 이슬이만 먹기에는 좀 마음이 아프지 내가. 나 오늘 유명 쉐프 오마카세도 날린 사람이야. 내가 25만원어치 고기는 날렸지만 그만큼 술로 다 채운다. 억울해서라도 내가 술로 채우고 만다. 양주 양주가 어디에 있더라? 누가 봐도 차인 게 티가 나는 건지 알바생이 크리스마스 선물이라고 봉투도 선물로 줬다. 그것도 2개씩이나. 하긴 누가 편의점에서 술을 이만큼이나 살까.

직업을 변호사에서 편의점 사장님으로 바꿔야겠다는 생각이 들 정도로 두 손이 무겁게 쇼핑을 한 뒤 우주네 집으로 향했다.

"편의점 털었어?"

"아니. 편의점을 털고 싶었는데 내 정신력만 털린 것 같아."

"그러게 화장한다고 할 때부터 알아봤다. 사람이 살던 대로 살아야지."

"그러게. 사람이 변하면 죽을 때가 된 거라고 그랬는데. 나는 왜 안 하던 화장을 해서."

"아시니 다행이십니다. 죽을 때가 된 정아현 씨."

"네네. 크리스마스에 덕담 감사합니다. 박우주 씨."

사랑보다 값진 건 없다더니 그건 정확하게 틀린 말이다. 이 세상에서 가장 값진 건 사랑이 아니라 우정이다. 님에서 남 되는 건 한순간이라더니. 옛 어른들 말 틀린 거 하나 없다니까. 박우주 아니었음 내일 신촌지구대에서 눈을 떴을지도 모른다.아니면 길거리에서 박스를 이불 삼아 덮고 잤을 수도. 어휴. 네 덕에 살았다 박우주. 네가 오늘 사람 하나 살린 거다.

짠짠짠. 스피드업을 외치다 보니 어느새 참이슬 6병째를 달리고 있는 우리이다.

"어? 박우주 너 얼굴 빨개졌다. 취했냐?"

"야 정아현 너도 마찬가지다. 너 오늘 좀 약하다?"

"야 이 언니한테 지금 주량으로 뭐라고 하는 거야?"

"어쭈. 오늘 끝까지 가봐 그리고 누가 이기나 봐."

"콜 근데 우주야. 나 오늘 헤어졌다?"

"알아. 헤어진 게 대수야? 한두 번도 아니고? 그래서 이번엔 왜 헤어졌는데?"

"나보고 김치녀래. 말이 되냐? 진짜 말이 되는 소리를 해야지 내가 들어주지 안 그래?"

"와 김민재 그 자식. 생긴 건 딱 곰인데 그래도 보는 눈이 좀 있네?"

"원수인지 친구인지 모르겠는 박우주 씨. 그래요. 내가 뭔 말인들 못 들어 드리겠어요. 저 오늘 차였는데. 내가 차였다니. 천하의 정아현이 차였다니. 믿을 수가 없다."

"천하의 정아현? 풋. 여러분 천하의 정아현이 차였대요. 뻥 차였대요."

"야 넌 이 언니 편이냐, 누구 편이냐?"

"야 댔어. 뭘 그런 걸로 그래. 잘 헤어졌어."

"그렇지? 솔직히 내가 아까웠지?"

"그렇다 하자. 그나저나 너 내일 수아 만난다고 하지 않았어?

"아, 수아 결혼하려나 봐. 인스타에 올라온 거 보니까 청첩장 줄 것 같더라."

"잘 만나고 와."

"다 같이 보면 좋을 텐데."

"뭐 하러. 백수아 보면 속만 시끄럽지. 내가 걜 뭐 하러 봐."

"그래그래. 우리 술이나 먹자. 이 분위기론 안 되겠다. BGM 틀어주세요 DJ님."

"오케이. 좋았어. 그러면 오늘 분위기로 봐서는 그래 이거다."

"설마…."

"설마가 사람 잡지. 백지영 언니의 '사랑 안 해'부터 시작하겠습니다."

"소오름"

아무리 친한 친구여도 꺼내기 어려운 이야기가 있는 밤이 있다. 오늘이 딱 그런 밤이였다.

그렇지만 꺼낼 수 없는 이야기여도, 서로 사소한 것 하나하나 다 이야기하지 않아도 서로가 서로를 안아줄 수 있는 그런 밤이었다. 우리의 이별의 밤은 소찬휘의 'TEARS' 까지 부르고 나서야 끝이 났다.

그리고 동시에 필름도 끊겼다.

# 슬픔

"야 김우주 일어나서 라면 좀 끓여봐. 이 언니 배고파"

"인간적으로 라면은 네가 끓여야 하는 거 아니냐?"

"이 언니 오늘 중요한 날이다. 오늘 이 언니 오늘 디데이야. 재판 날이라고"

"아 맞다 너 오늘 재판 10시라 하지 않았냐?"

"맞아 근데 아직 알람 안 울렸으니까. 아 맞다. 나 핸드폰 꺼졌지. 몇 시지 지금?"

미쳤다 정아현. 장하다 정아현. 너는 정말 정신줄을 놓고 사는구나.

지금 라면 타령하고 있을 때가 아닌데. 술이 원수다 원수야. 내일부터 술 마시면 내가 진짜 정말 개다. 아니 난 이미 개다... 왈왈 전생에 개였나 보다. 그래서 내가 개띠인가? 술에 미쳐서는 정말. 돌았다.

정아현. 아주 장하다 장해. 이번 재판 이기겠다고 이 악물고 열심히 일할 땐 언제고. 정신 차리고 빨리 준비하자. 빨리.

"야 나 옷 좀 빌린다"

"안대 늘어나"

"야 이 언니 좀 살려줘라. 내가 오늘 재판 승소해서 신상으로 탁"

"콜 백화점으로. 아울렛은 안된다."

"하 콜"

헐레벌떡 준비하고 뛰어나왔다. 아 오늘은 차분한 느낌에 올 블랙으로 코디하고 싶었는데.

하필 어제 이별의 메들리를 부르느라 핸드폰 배터리가 똑 하고 나갔다. 그리고 취해선 충전하는 것도 잊은 채 잠들어버렸다. 일찍 일어났기에 망정이지. 이제 남자 친구라고 불러서도 안 되는 그대.

넌 헤어져서도 원수구나.

급한 대로 좀 작은 듯한 우주의 검은 정장을 입고 선 서울중앙지방법원으로 향했다.

이번에 맡게 된 사건은 아동 폭력 사건이지만 가해자가 부모인만큼 정확한 피해를 입증하기 어려워 국민참여재판으로 진행된다. 국민참여재판으로 진행되는 만큼 국민의 관심도가 높은 사건이라 잘하고 싶은 마음은 굴뚝인데 박우주는 왜 이렇게 말라서 옷들이 이렇게 작은 건지. 또 오늘따라 차는 왜 이렇게 많은 건지 모르겠다. 하늘에 떠 있는 해 마저도 변덕쟁이처럼 느껴졌다.

정아현 정신 차리자. 오늘 너의 말 한마디 한마디에 누군가의 인생을 달라질 수 있음을 기억하자.

"사건번호 제 2021가합586317 재판을 시작합니다."

떨리는 마음으로 시작된 재판. 이젠 좀 익숙해질 만도 한데 매번 재판장에 오르면 가슴이 뛴다.

상대편 검사는 '무패의 독수리'라는 별명을 얻었을 정도로 실력이 좋기로 소문난 검사다. 그래서 더 이기고 싶었다. 이 세상의 힘 없는 사람들에게도 누군가는 빛과 희망이 되 줄 수 있다는 사실. 정의는 존재한다는 사실. 법은 결국 죄를 짓지 않은 자의 편이라는 사실을 알리고 싶었다.

"존경하는 재판장님. 저는 한 아이의 변호사이기 전에 대한민국의 한 국민입니다. 물론 여기는 법정이고 제가 변호사로 이 자리에 서 있는 한 저는 정확한 증거로만 재판장님께 말씀드리는 것이 맞습니다. 하지만 오늘의 이 사건은 부모가 아이를 일부러 폭행하고 주도 면밀하게 그 증거를 없애 왔습니다. 이제 갓 6살이 된 아이에게 증거를 남기라고 가르쳐준 사람도, 도움의 손길을 내민 사람도 없어 이 아이는 오늘 이 자리에 오게 되었습니다. 불안에 떨고 있는 저 아이의 눈을 봐주시길 바랍니다. 아이의 눈은 거짓을 말하지 않는다는 걸 기억해 주시고 부디 현명한 판결이 내려 한 아이의 인생에 밝은 미래가 펼쳐질 수 있기를 이 세상의 모든 어른이 다 나쁜 어른은 아니라는 것을 알 수 있게 도와주시길 바랍니다. 이상입니다."

이 법정에서 내가 할 수 있는 게 고작 이런 말뿐이라는 게 너무 화가 났다. 뻔히 아이의 부모가 아이에게 폭력을 저질렀지만 입증할 수 없어 그런 부모를 벌하지 못한다는 그 사실에 나도 모르게 눈물이 났다. 당장이라도 그 부모에게 가서 따지고 싶지만 내가 할 수 있는 최선이라곤 이 아이의 아픔이 여기 있는 사람들에게 전달되기를 바랄 뿐이다. 안된다는 걸 알지만 그래도 매달려 보고 싶었다. 법은 선량한 사람들의 편이라고 당당히 보여주고 증명해 내고 싶었다. '증거'라는 그 두 글자 앞에 나는 또 한없이 작아져야만 했다. 사실 이기지 못하는 싸움이었다는 걸 알면서 시작했다. 그렇지만 그래도 '희망'이라는 두 글자가 이기는 날이 언제쯤은 오지 않을까 생각했는데 세상은 너무나 냉정했고 차가웠다. 그리고 나는 또 한 번 냉정한 현실에 마주해야 했다. 부모의 사랑까진 아니었어도 이 세상이 살아갈 만하다는 건 알려 주고 싶었는데. 오늘따라 마음 한구석이 저릿저릿하다. 점점 괜찮아지고 있다 생각한 나의 마음이 아직도 깊게 멍든 보라색인 듯싶다.

# 눈물

"오늘 수아 보러 가야 하는데 왜 이렇게 다리가 아픈 것 같냐."

"하늘이 참 밉게도 파랗네."

마음 같아선 당장 한강으로 뛰어가 숨이 넘어갈 듯 달리고 싶었지만 그럴 수 없었다.

나에겐 앞으로 닥칠 수많은 힘든 날 들 중 하루에 불과하겠지만 수아는 인생의 한 번 있는 결혼식을 발표하는 날이다. 속상해도 싫어도 가야지. 말을 듣지 않는 몸을 겨우 이끌고 조선 팰리스호텔로 향했다. 로비에 도착하니 수아랑 승희가 보였다. 어젠 전화해도 그렇게 안 받더니만. 치.

"재판 잘 하고 왔어?"

"뭐 그럭저럭."

"아현아 너는 항상 잘 하면서 그렇게 이야기하더라. 오늘도 잘했을 거면서!"

승희에 마지막 말이 나를 또 나만의 동굴 속으로 들어가게 한다.

"배고프다. 빨리 들어가자. 오빠가 너네 맛있는거 사주라고 카드도 줬어."

"와 이제 오빠가 아니라 형부라고 불러야 하나?"

수아와 승희를 마주하고 있는 이 식탁이 네모였으면 좋겠다고 생각했다. 모난 내 마음을 닮은 뾰족뾰족한 네모. 모서리가 아주 뾰족한 네모였음 좋았을 텐데.

"아현아 내 인스타 봤어?"

"어 봤지. 좋았겠다 수아야."

"난 배 아파 죽는 줄 알았어. 아주 좋은 건 세상 혼자 다 해. 아주 공주님이야. 공주님."

그저께까지만 해도 아무렇지 않았는데. 아니 그냥 조금 부러웠을 뿐인데. 오늘은 왜 이렇게 수아의 인스타 속 행복한 표정이 나를 너무 아프게 하는 것 같다.

"그래서 말인데 아현아 나 부탁이 있어."

"응 무슨 부탁인데?"

"결혼식에서 네가 부케를 받아줬으면 좋겠어서. 받아 줄 거지?"

"어? 내가?"

이게 무슨 소리지? 왜 내가 부케를 받아야 하지? 아 맞다. 수아랑 승희는 내가 어제 헤어진 걸 모른다. 통화를 했어야 헤어진 줄도 알지.

"너 아니면 내 부케를 누가 받냐?"

"그래 아현아. 나는 남자 친구도 없으니까 네가 받는 게 맞지. 부케 받고 6개월 안에 결혼 못 하면 노처녀로 늙는다는데."

내가 너 부케를 받고 어떻게 6개월 안에 결혼하니. 나 어제 헤어졌다고. 오늘 청첩장 받으면서 헤어졌다고 말할 수도 없고 정말 난감하다.

"어? 내가? 나보고 부케를 받으라고?" "응. 승희는 아직 남자 친구도 없는데 너는 만난지도만난 지도 꽤 됐고 결혼 이야기도 슬슬 나온다며. 이제 곧 결혼할 거 아니야?"

응 아니야. 절대 아니야. 이젠 하고 싶어도 못하고 안 하고 싶어도 못 해.

"더군다나 아현아 너희 부모님이랑 우리 부모님도 아는 사이잖아. 집안끼리도 잘 아시는 사이겠다. 너랑 나랑 초등학교 때부터 쭉 제일 친한 친구였겠다. 네가 아니면 내 부케 누가 받겠어. 안 그래?"

"맞아. 그리고 이번 기회에 부케를 핑계로 오빠한테 결혼 이야기 슬쩍 하면 좀 좋아?"

"그래그래. 승희말처럼 너 이번 기회에 결혼 생각해 봐."

"맞아. 어차피 결혼해야 한다면 일찍 하게 낮지 않아?"

애들아 나도 크리스마스 날 헤어질지도 몰랐고 오빠랑 결혼할 줄 알았단다. 지금 당장은 아니더라도 오빠가 나한테 프러포즈하면 하면 나도 기쁘게 받아들이고 싶었다고.

"그렇지. 이왕 할 결혼이라면 일찍 하면 더 좋겠지?"

"그 말 내 부케 받아준다는 말 맞지? 너 이제 말 바꾸기 없기다."

왜 그 말이 저렇게 받아들여지는 거지? 나는 그런 말이 아닌데.

"그럼 나도 줄 설래. 아현아 나 결혼할 때도 그때도 네가 내 부케 받아줘."

"야 김승희. 너는 남자 친구 사귀는 게 먼저 아니야?"

"야 백수아. 그러는 김에 형부 친구 중에 괜찮은 사람 없니?"

"왜? 있으면 진심으로 잘해볼 생각은 있고?"

"그러게 말이다. 우리 이모가 그러더라. 여자 나이 30 넘으면 뭐 볼 거 있냐고."

"맞아. 여자 나이 30 넘으면 그때부턴 하락장이라더라"

"어차피 결혼해야 한다면 한 살이라도 더 젊을 때 나랑 조건이 하나라도 더 맞는 사람이랑 결혼하는 게 맞지 않나 싶어서."

이 자리에 앉아있는 내가 원망스러웠다. 내가 지금 이런 이야기나 듣자고 여길 와 있는 걸까? 사실 수아가 부럽지 않은 것은 아니다. 사실 좀 부럽다. 아니 좀 많이 부럽다. 나도 수아처럼 돈 많은 집안에서 태어나 하고 싶은 거 다 하면서 부모한테 뭐 하나 강요 받지 않고 살았더라면. 온실 속 화초처럼 사랑만 받고 자랐더라면 이렇게 내가 이 악물고 버티면서 살아오지 않았어도 될 텐데. 지금쯤 내가 수아자리에 앉아 다른 사람들에게 청첩장을 나눠주며 오빠 자랑도 하고 프러포즈 받은 이야기도 하며 받은 선물들을 자랑하고 있었겠지? 지금 이 자리에서 벅차지 못하고 수아를 부러워하는 내가 초라해서 싫다. 명품에 둘러싸여 프러포즈 받은 사진에 나 또한 그랬으면 좋겠다고 생각한 내 자신이 너무 밉다. 그냥 나도 애매모호한 부모가 아니라 정말 잘난 부모 아래서 저렇게 세상에 찌들지 않는 하얀 백합처럼 살아가고 싶다고 생각한다는 게 오늘의 나를 너무 비참하게 만들었다. 나는 내가 나름 괜찮은 사람인 줄 알았는데 이제 보니 난 괜찮아 보이고 싶은 사람에 불과한 거 같아 마음이 아팠다. 아니 쓰렸다.

친구들과 어떻게 밥을 먹었는지 어떻게 헤어진 건지 모르겠다. 거울 속 비친 내 모습을 보니 눈은 웃고 있는데 얼굴은 울고 있었다. 마냥 걷고 싶었다. 구두를 신어서, 작은 옷을 입어서 불편할 것을 알면서도 그냥 하염없이 걷고 싶었다. 그래서 걸었다. 걷고 싶길래 계속 계속 걸었다. 걷다 보니 발뒤꿈치가 따가웠다. 구두를 신고 많이 걸었더니 그새 물집이 잡혔나 보다. 근데 그 물집보다 내 마음이 아파서인지 헛헛해서인지 발뒤꿈치의 쓰라림보다 걷고 싶은 마음이 더 큰 하루였다.

지하철 들어오는 소리가 들리고 텅텅 빈 지하철 의자에 앉았다. 의자가 차가웠다. 아니 요새 지하철 의자에 열선 들어온다고 하지 않았나? 뉴스에서 들었던 거 같은데 아닌가? 아니다. 어쩌면 진짜로 차가운 건 내 마음일지도 모르겠다. 흔들리는 지하철 소리와 유리창 밖으로 보이는 한강의 화려한 야경에 괜스레 내 마음이 더 시려 왔다. 난 뭘 위해 여기까지 아등바등하며 살아온 걸까?

# 추억

중학교 시절이 떠올랐다.

"아현아 내가 너한테 바라는 건 정말 단 하나야. 너 서울대 가는 거."

"네…"

"엄마가 무슨 말 하는지 알지? 서울대만 가 그 뒤엔 너 하고 싶은 거 해. 그땐 뭐라 안 할 테니."

부모님께 할 수 있는 유일한 대답은 "네"였다. 아니 명령을 받드는 것 외에는 할 수 없었다.

한번은 2학년 1학기 중간고사 성적표가 나오는 날 처음으로 '죽고 싶다'는 생각을 했던 것 같다.

무엇을 위해 내가 공부해야 하는지. 나는 어떤 사람인지. 이렇게 공부하면 나는 어떤 사람이 될 수 있는 건지. 그냥 막연한 미래만을 위해 공부를 하며 달려가고 있는 나였다. 문제는 풀면 답이 나오는데 내 인생에 답지는 존재하지 않는 기분이었다. 엄마의 위로가 필요했다. 따뜻한 말 한마디가 나를 살리는 유일한 길이라는 생각이 들었다. 힘겹게 엄마의 방문을 열고 입을 뗐다.

"엄마 저 힘든 것 같아요. 아니 힘들어요."

"너 지금 전교 등수 떨어졌다고 이러는 거니? 이젠 안 혼나려고 방법도 가지가지구나."

"아니요. 엄마. 그게 아니고."

"이 세상에 안 힘든 사람 없다. 나약한 사람은 살아남을 수 없는 사회에 태어나 놓고서는 왜 나약한 짓만 골라서 하는 거니?"

엄마의 "괜찮다." 이 말 한마디가 듣고 싶었던 나인데 "괜찮다."라는 말 대신 엄마는 나를 벼랑 끝으로 밀었다. 그때 난 생각했다. 내가 태어난 이유는 본인들의 명예를 높이기 위한 무언가가 필요했고 그게 나라고. 그래서 그날 이후로 결심했다. 부모님이 원하는 대로만 살지는 않을 거라고. 난 내 인생을 살 거라고. 그리고 그날 이후로부터 난 내 꿈에 대해 생각해 왔다. 부모님의 꼭두각시가 아닌 뭘 해야 내가 행복할지, 뭘 해야 먹고 살지 말이다. 그런데 딱히 없었다. 초등학교 1학년 때에는 배우가 되고 싶다고 당당하게 썼다가 엄마에 의해 지워졌던 나의 배우라는 꿈이 부모님에게 가려져 지금까지 살아왔더니 차마 내 꿈을 입 밖으로 내기가 어려워질 만큼 나는 내 꿈을 잃어버렸다. 그렇게 어영부영 시간은 지나갔고 결국 꿈 타령이나 하던 난 떨어진 성적표에 대한 책임으로 유학길에 올라야 했다.

유학 생활 내내 내 생활은 평범 그 자체였다. 집 학교 집. 어쩌다 한 번 동아리실.전교에서 제일 특색 없는 친구를 뽑으라면 다 나를 지목해도 이상하지가 않을 삶이었다. 학교 카페테리아 요리사는 나를 '3년 내내 오믈렛만 먹는 이상한 한국인'이라고 지칭할 정도로 나의 삶에 무미건조함이 이어졌다. 부모의 사랑을 갈구했던 초등학생은 어느새 부모의 사랑이 무엇인지도 모르는 성인으로 자라나고 있었다. 내 인생에 '사랑'이라는 단어는 점점 희미해져 갔다. 누구에게 뭘 바라지도 않았다. 바라고 원하면 상처받는 건 결국 나라는 걸 깨달아 버렸기 때문이다. 3년간의 길고 긴 유배 생활에 끝이 났고 3년간 얼굴 한번 비추지 않았던 엄마 아빠는 내 졸업식 때야 얼굴을 비췄다.

"딸 졸업 축하한다. 그런데 유학까지 보내 놓았으면 서울대 갈 성적은 돼야 하지 않겠니?"

"네 죄송해요. 더 열심히 해야 했는데 제가 부족했네요."

부모님과 찍은 졸업사진은 색이 없다. 엄마의 알록달록한 트위드 재킷도. 아빠의 눈에 띄었던 파란색 넥타이도. 남들이 보기엔 너무나 완벽한 가족사진이었지만 나에게는 그저 감정 하나 섞이지 않은 단순한 사진 한 장이었다. 그렇게 한국에 돌아오고 나서 3년 만에 다시 겨울을 맞이할 수가 있었다. 겨울이 이렇게 추웠던가. 추위를 피하기 위해 들어갔던 집 근처 카페.

"따뜻한 아메리카노 한 잔 주세요."

"네. 손님. 밖에 많이 춥죠? 어? 정아현?"

"어?."

"야. 너 정아현 맞지? 영훈초 정아현?"

마스크 위로 보이는 눈이 딱 어렸을 때의 박우주다. 눈 밖에 보이지 않았지만 내 친구 박우주라는걸 알 수 있었다.

"박우주?"

"역시 정아현.기억 못 하면 좀 슬플 뻔했다?"

"아..어... 응…잘 지냈지?"

"나야 잘 지냈지. 너 유학 갔단 소식은 백수아 인스타에서 얼핏 봐서 알아. 갔다 아예 온 거야?"

"어... 이제 대학교 가야지..." 나의 머뭇머뭇하는 답답한 대답들에 우주는 나를 한참이나 빤히 쳐다보았다.

"너 얘가 왜 이렇게 소심해졌어? 말수가 적어진 건지 성격이 변한 건지 모르겠다."

우주의 저 말 한마디가 나의 중학교,고등학교 시절 6년간을 부정당하는 기분이라서 뭐라고 말할 수가 없었다. 우주에게 자세히 이것저것 이야기하고 싶은데 입을 열기도 전에 눈물부터 왈칵 쏟아졌다. 그렇게 한참을 몇년간의 아픔을 쏟아내듯, 남몰래 가슴앓이 하던 시간을 다 흘려보내겠다는 마음이었던 건지, 아니면 누가 알아주기를 바랐던 마음이었던 건지, 그렇게 9년 만에 재회한 우주 앞에서 아현은 하염없이 눈물만 흘렸고, 그런 아현을 한없이 안아주고 토닥여주는 우주였다. 8년이라는 시간이 지났지만 그 둘은 여전히 서로를 제일 잘 아는 친구였다.

"미안. 다들 이상한 사람으로 오해했겠다."

"괜찮아. 이제 좀 괜찮은 것 같아?"

"응. 이제 좀 살 것 같다. 따뜻한 아메리카노 말고 아이스 아메리카노 마셔도 되겠다."

"그러기엔 너무 춥지 않아?"

그렇게 우주를 다시 만난 뒤 내 삶의 활력소는 우주가 되었다. 우주는 어떨지 모르겠지만 나는 우주에게 우주는 내가 서로의 활력소라고 믿고 살아왔다. 그렇게 우주는 나만의 동굴에 갇혀 세상 밖으로 나오지 못했던 나를 다시 이 세상에 꺼내 놓았고 난 천천히 예전의 밝았던

나로 천천히 돌아갔다. 그렇게 우리 둘은 서로가 서로에게 가족이자,
울타리이자 친구가 되어줬다.

# 희망

　이런저런 생각을 하다 보니 나도 모르게 집 앞 편의점 문 앞에 서 있다. 오늘도 술이 필요하겠다는 생각이 들었다. 도대체 언제쯤 술 없이도 행복한 인생을 살 수 있을지 모르겠다. 하지만 인생엔 정답이 없다는 사실을 알게 된 쓴맛이 가득한 서른이다. 집에 돌아와서 따뜻한 욕조의 반신욕을 하고 나니 이제야 좀 살 것 같았다. 샤워를 마치고 나서 맥주 한 캔을 따려는 순간 진동이 울렸다.

　"네 김 변호사님."

　"정 변호사. 오늘 열심히 깨지고 왔다며?"

　"네... 제가 할 말이 없습니다. 죄송합니다."

　"그런데 말이야 상대측 변호사가 정변을 예쁘게 봤나 봐?"

　"네?"

　"열심히 하는 모습이 자기 1년 차 때랑 똑같다나? 어쨌든 칭찬 많이 하더라고."

　"네... 그렇게 봐주셨다니 감사할 뿐이죠."

　"그래서 그러는데 내가 들어가는 김 사장님 건. 그거 정변이랑 같이 해보면 어떨까 하는데?."

　"진짜요? 저 정말 그래도 될까요?"

　오늘 하루 최악이라고 생각했다. 물론 어제도 최악이었지만. 어제오늘 나 스스로 많이 힘들어했고 자책도 많이 했다. 내 인생의 내리막길이 있다면 그 내리막길을 롤러코스터를 타고 빠르게 하강하는 것 같았다. 점점 최악으로 달려가고 있다고 생각했다. 그런데 예기치 못하는 불행과 예기치 못하는 행복은 언제 다가올지 모르나 보다. 나 정아현 이제 다시 힘낼 이유가 생겼다. 이번엔 지고 싶지 않다. 시니어 선배들도 더 이상 실망하게 해드리고 싶지도 않았다. 내 인생의 내리막에 내가 있다고 해서 나는 언제까지 내리막일 수 없다. 내가 지금 할 수 있는 건 내가 지금 서 있는 곳이 내리막의 끝이다 생각하며 다시 올라갈 생각만 하는 것이다. 그게 지금 내가 할 수 있는 전부라고 생각한다. 그렇기에 나 정아현 다시 한번 더 힘을 내 이젠 오르막길을 향해 달리리라 결심했다.

기회를 준 선배를 실망하게 하고 싶지 않아서, 나 자신이 주저앉고 싶지 않아서 모든 열심히 했다. 심지어 밥 먹는 것도 열심히 했다. 그런데 밥을 너무 열심히 먹었나 보다. 한 달이라는 시간이 훅 흘러갔고 그동안 내 몸무게도 3kg이 늘었다. 그리고 오늘은 어느덧 수아의 결혼식 날이다.

신부 입장을 보는데 괜히 눈물이 났다. 이 눈물은 질투의 눈물도, 부러움의 눈물도 100% 아니라고 한다면 그건 거짓말이다. 수아가 부럽기도 하고 기특하기도 하다. 사람마다 살아가는 데 여러 가지 방법들이 있다. 사람마다 생각하는 우선순위는 다 다르다. 그리고 난 나만의 우선순위를 향해 어디까지 왔는지 모를 마라톤을 하고 있는 것뿐이다. 모두가 그렇게. 난 그렇게 나만의 방식으로 아픔도 겪으면서 슬픔도 겪으면서 점차 성장해 나가고 있다. 내가 앞으로 가야 하는 이 길이 가시밭길이어도 이제는 어쩔 수 없다는 걸 안다. 가시밭길이 있음

때론 평탄한 길도 있다 믿고 나만의 속도를 찾아 나가는 수밖에. 그게 서른살 내 인생을 살아가는 나만의 방식이다. 더 나은 내일을 맞을.

우리를 닮은 이야기

**발행** 2024년 3월 5일
**지은이** 김수현, 은희, 유가실, 안지환, 김토실, 이진선, 남수연, 한선정, 윤슬
**라이팅리더** 양기연
**디자인** 윤소현
**펴낸이** 정원우
**펴낸곳** 글ego
**출판등록** 2019.06.21 (제2019-67호)
**주소** 서울시 강남구 강남대로 118길 24 3층
**이메일** writing4ego@gmail.com
**홈페이지** http://egowriting.com
**인스타그램** @egowriting

ISBN 979-11-6666-454-0